suhrkamp taschenbuch 599

Max Frisch, am 15. Mai 1911 in Zürich geboren, starb dort am 4. April 1991. Seine wichtigsten Prosawerke: »Tagebuch 1946 bis 1949« (1950), »Stiller« (1954), »Homo faber« (1957), »Mein Name sei Gantenbein« (1964), »Tagebuch 1966 bis 1971« (1972), »Dienstbüchlein« (1974), »Montauk« (1975), »Der Traum des Apothekers von Locarno«. Erzählungen (1978), »Der Mensch erscheint im Holozän«. Eine Erzählung (1979), »Blaubart«. Erzählung (1982). Seine Stücke (u. a. »Graf Öderland«, 1951, »Don Juan oder Die Liebe zur Geometrie«, 1953, »Biedermann und die Brandstifter«, 1958, »Andorra«, 1961, »Biografie: Ein Spiel«, 1967) sind in zwei Bänden gesammelt: »Stücke 1 und 2« (1969). »Triptychon. Drei szenische Bilder« (1978). Sein Werk, vielfach ausgezeichnet, erscheint im Suhrkamp Verlag.

Das Hörspiel *Herr Biedermann und die Brandstifter* inszeniert, wie das Theaterstück *Biedermann und die Brandstifter,* die Geschichte eines Kleinbürgers, der die Brandstifter in sein Haus läßt, um von ihnen – verzweifelte Hoffnung opportunistischer Bonhomie – verschont zu werden. In der verwickelten Konspiration von Spießern und Gangstern wird eine Geisteshaltung entlarvt, die zur Urgeschichte des Totalitären gehört. Das 1952 geschriebene Hörspiel um *Herrn Biedermann* ist weit weniger bekannt als das 1957 entstandene Theaterstück (fast) gleichen Titels. Es ist indes nicht nur als Vorstufe des Schauspiels anzusehen, sondern mehr noch als eine selbständige Variante in einem Genre mit eigenen Erfordernissen.

Rip van Winkle gehört ebenfalls zu den relativ wenig bekannten Hörspielen Max Frischs. Es entstand 1953, also nur wenig später als das *Biedermann*-Hörspiel. Wie dieses war auch *Rip van Winkle* eine Auftragsarbeit.

Max Frisch
Herr Biedermann und die Brandstifter
Rip van Winkle

Zwei Hörspiele

Suhrkamp

suhrkamp taschenbuch 599
Erste Auflage 1980
Herr Biedermann und die Brandstifter
Copyright 1963 Suhrkamp Verlag Frankfurt am Main
Rip van Winkle
© 1960 Suhrkamp Verlag Frankfurt am Main
Suhrkamp Taschenbuch Verlag
Druck: Ebner Ulm · Printed in Germany
Umschlag nach Entwürfen von
Willy Fleckhaus und Rolf Staudt

9 10 11 12 − 93 92

Inhalt

Herr Biedermann
und die Brandstifter
Hörspiel

(*1952*)

Personen: Verfasser · Biedermann · Frau Biedermann · Schmitz
Eisenring · Anna

VERFASSER Liebe Hörerinnen und Hörer! Herr Biedermann, der Held unsrer unwahrscheinlichen Geschichte, wartet bereits im Nebenraum, ich sehe ihn hier durch die große Scheibe, aber er kann mich nicht hören… Sie alle, liebe Hörerinnen und Hörer, kennen Herrn Biedermann, wenn auch vielleicht unter anderen Namen. Was ihn außer einem freundlichen Verzicht auf besondere Merkmale auszeichnet, ist eine rosige Gesundheit, die ihn dazu bestimmt, stets und nach jeder Katastrophe zu den Überlebenden zu gehören. Seine Art, sich zu kleiden, erinnert mich an die Puppen in den Schaufenstern, korrekt vom Scheitel bis zur Sohle. Außer den rosigen Backen, die es übrigens schwer machen, sein Alter zu schätzen, trägt Herr Biedermann eine weithin sichtbare, in der üblichen Blässe spiegelnde Glatze, was er weiß; doch möchte Herr Biedermann nicht, daß man seine Glatze öffentlich erwähnt. Das hängt mit seinem Geschäft zusammen. Nämlich Herr Biedermann handelt, wie Sie hören werden, mit Haarwasser. Wahrscheinlich wird Herr Biedermann, sobald ich ihn vor dieses Mikro bitte, Ihnen seine Unschuld versichern. Ich möchte aber Ihrem persönlichen Urteil über Herrn Biedermann in keiner Weise vorgreifen, sondern (solange wir unter vier Augen sind) nur noch beifügen: Ich habe mit bewußter Absicht eine erfundene Katastrophe gewählt, nämlich den Brand von Seldwyla, um in den geschätzten Hörern keinerlei Erschütterung auszulösen, keinerlei persönliche Leidenschaft, die uns nur das Vergnügen einer gelassenen und sachlichen Betrachtung verdirbt, das Vergnügen zu erkennen, daß es auch Katastrophen gibt, die nicht hätten stattfinden müssen.

Er klopft an die Scheibe
Herr Biedermann?!
Er tritt zum Mikrophon zurück
Er kommt sogleich. – Seldwyla, das Sie vermutlich aus der Li-

teratur kennen, dürfen Sie sich natürlich nicht vorstellen, wie Gottfried Keller es geschildert hat. Seldwyla ist eine heutige Stadt geworden mit allem, was dazu gehört: mit Kinos, Trolleybus, Stadion, Verkehrspolizei, Kanalisation, Theater-Festspielen, Mangel an Parkplätzen usw.

Biedermann tritt in den Senderaum

VERFASSER Herr Biedermann! Ich habe die Ehre, Herr Biedermann, mich Ihnen vorzustellen: Ich bin Ihr Verfasser –

BIEDERMANN Guten Abend.

VERFASSER Vorderhand wissen unsere Hörer nur, daß es sich um den Brand von Seldwyla handelt, noch habe ich nicht gesagt, daß Sie, Gottlieb Biedermann, die Persönlichkeit sind, die unsere Katastrophe ermöglicht hat.

BIEDERMANN Mein Herr, ich bitte Sie –!

VERFASSER Ich sage keineswegs, Herr Biedermann, daß Sie die Katastrophe verschuldet haben. Keineswegs! Ich sage nur, Sie haben sie (wenn ich so sagen darf) ermöglicht.

BIEDERMANN Was will man von mir?

VERFASSER Wir möchten Sie kennenlernen, Herr Biedermann.

BIEDERMANN Warum?

VERFASSER Sie sind ein wichtiger Zeitgenosse, Herr Biedermann, weil ohne Sie, glaube ich, die Weltgeschichte zuweilen ganz anders verlaufen würde.

BIEDERMANN Ich bin unschuldig.

VERFASSER Sicher, Herr Biedermann, sicher.

BIEDERMANN Also.

VERFASSER Sie sind völlig frei, Herr Biedermann, zu sagen, was Sie denken.

BIEDERMANN Ich lasse mich nicht zur Verantwortung ziehen ––

VERFASSER Wer will das denn? Sie irren sich, Herr Biedermann, kein Überlebender zieht Sie zur Verantwortung, und die Toten sind tot. Wir sind bereit, nicht bloß den Urhebern unsrer Katastrophe eine volle Amnestie zu gewähren, sondern sogar uns selbst, indem wir alle historischen Katastrophen, die gewesenen wie die kommenden, als ein schlichtes Schicksal betrachten, als unvermeidlich. Was wollen Sie mehr, Herr Biedermann? Eben dazu stehen wir ja vor diesem Mikro, um unsern Hörer dahin zu bringen, daß er Sie, Gottlieb Biedermann, versteht und achtet. Wie sollen wir ein neues Seldwyla erbauen ohne Sie? Noch an jenem letzten Abend vor dem großen Brand, Sie erinnern sich, noch bei jenem gemütlichen Gans-Essen, wie Sie den beiden Brandstiftern das freundschaftliche Du antragen und ihnen endlich sogar die Streichhölzer schenken, soll unser Hörer einfach das Gefühl haben: Ein guter und anständiger Mensch, dieser Biedermann, eine Seele von Mensch. Also das Gefühl: Hand aufs Herz, so hätte auch ich gehandelt! Nur dann werden wir finden, Herr Biedermann ist unschuldig; er tut ja nur, was wir alle tun. Und nur dann, wenn von Verantwortung nicht die Rede sein kann, sind wir bereit, zu vergessen, wie es zu dieser Katastrophe (in Seldwyla) gekommen ist – und bereit für die nächste.

Ein Gong ertönt

VERFASSER Herr Biedermann sitzt vor seinem Kamin und liest die Zeitung, die von neuen Brandstiftereien melden; er raucht seine feierabendliche Zigarre, Bajanos, und Anna, das Dienstmädchen, tritt ein, um zu stören.

Szene 1

ANNA Herr Biedermann?

BIEDERMANN Was denn schon wieder?

ANNA Da ist jemand, der Sie sprechen möchte.

BIEDERMANN Um diese Zeit?

ANNA Ich habe ihm schon gesagt, er soll morgen ins Geschäft kommen. Aber das nütze ihm nichts, sagt er, er brauche kein Haarwasser.

BIEDERMANN Was denn?

ANNA Er fragt mich, ob Sie an Gott glauben.

BIEDERMANN Sie sehen doch, Anna, daß ich das Abendblatt lese –

ANNA Es sei dringend, sagt er.

BIEDERMANN Wenn er ein Traktat verkauft, Herrgott im Himmel, dann kaufen Sie eins, ich habe nichts gegen Jesus Christus, das wissen Sie doch, Anna, aber ich möchte nicht immer gestört sein –

ANNA Ich weiß, Herr Biedermann.

BIEDERMANN Ich bin nicht zu Hause.

ANNA Sie dürfen es mir nicht verargen, Herr Biedermann, ich bin ja so erschrocken, wie ich mit dem Wein aus dem Keller komme, und plötzlich steht da dieser Kerl mitten im Flur. Mich hat fast der Schlag getroffen. Ich wagte halt nicht zu sagen: Herr Biedermann ist nicht zu Hause.

BIEDERMANN Was will er denn eigentlich?

ANNA Er suche nicht den Haarwasser-Biedermann, sagt er, sondern den Menschen-Biedermann.

BIEDERMANN Hm.

ANNA Er kenne Sie, sagt er.

Biedermann entkorkt die Flasche

ANNA Es tut mir wirklich leid, Herr Biedermann, aber ich kann doch diesen Menschen nicht einfach vor die Tür stellen.

BIEDERMANN Wieso nicht?

ANNA Er ist sehr groß, Herr Biedermann, und sehr kräftig. Sie werden schon sehen –

Das Telefon klingelt

BIEDERMANN Sagen Sie ihm, er soll im Flur draußen warten.

Anna geht hinaus, Biedermann nimmt das Telefon ab

BIEDERMANN Biedermann. / Ich weiß, Herr Knechtling. / Wie bitte? Sie haben meinen Brief erhalten, Herr Knechtling, was gibt es darüber noch zu reden? Ich·habe Ihnen gekündigt, was mein gutes Recht ist. / Daß Sie eine Frau und drei Kinder haben, Herr Knechtling, das ist ja wohl Ihre Sache. Was sagen Sie? / Unrecht. Ich? / Weil ich mir diesen Ton nicht gefallen lasse, Herr, ein für allemal: Ich begehe kein Unrecht! / Bitte sehr –.

Biedermann hängt auf

BIEDERMANN Ich habe dem Mädchen gesagt, Sie sollen im Flur draußen warten!

DER FREMDE Ach so!

BIEDERMANN Wieso kommen Sie einfach herein?

DER FREMDE Entschuldigung, Herr Biedermann –

BIEDERMANN Ohne zu klopfen!

DER FREMDE Mein Name ist Schmitz.

BIEDERMANN Sehr erfreut – aber –

SCHMITZ Entschuldigung, Herr Biedermann, ich kann nicht dazu, daß ich so groß bin. Die Herrschaften erschrecken immer, wenn ich so zum erstenmal in ihrer Stube stehe. Ich bin halt so gewachsen.

BIEDERMANN Jaja, ich sehe –

SCHMITZ Sie brauchen keine Angst zu haben, Herr Biedermann, ich bin nämlich kein Landstreicher oder so. Ich bin Ringer von Beruf.

BIEDERMANN Ringer?

SCHMITZ Gewesen.

BIEDERMANN Und jetzt?

SCHMITZ Ich suche keine Arbeit bei Ihnen, Herr Biedermann. Nur weil es draußen regnet, ich dachte, und wenn man kein Geld hat – nämlich ich bin zum erstenmal in Seldwyla. So sauber wo man steht und geht, keine Spur von Unrat, das gibt es kein zweites Mal in der Welt, eine Stadt wie dieses Seldwyla – Ehrenwort!

BIEDERMANN Jaja, schon…

SCHMITZ Mit dem Zirkus, wissen Sie, bin ich viel in dieser Welt herumgekommen. Eine unmenschliche Welt, Herr Biedermann! Daß Sie unsereinen überhaupt anhören, und nicht einfach am Kragen packen, um unsereinen vor die Tür zu stellen, sehen Sie, das ist es, Herr Biedermann, was unsereiner sucht: Menschlichkeit!

BIEDERMANN Jaja, natürlich…

SCHMITZ Nämlich ich habe es auch schon anders getroffen! Kaum tritt unsereiner über die Schwelle, ein Kerl ohne Krawatte: Bitte sehr! Schon rufen sie hinterrücks die Polizei, als wäre man ein Brandstifter! Ich könnte Ihnen ja Geschichten erzählen. Die alten Weiblein zum Beispiel! So verlottert und durchnäßt, denken sie, das kann nur der liebe Gott persönlich sein, und schon zittern sie ihre Sparbüchsen auf den Tisch, was mir nicht recht ist, sehen Sie; aber ich sage mir: wozu soll man ihren Glauben enttäuschen? Es gibt schon genug Unglauben in dieser Welt –

BIEDERMANN Sicher –

SCHMITZ Genug Mißtrauen!…

BIEDERMANN Kurz und gut, mein Herr, was wollen Sie?

SCHMITZ Mein Name ist Schmitz.

BIEDERMANN Sie sagten es, ja, sehr erfreut. – Wollen Sie ein Stück Brot?

SCHMITZ Wenn Sie nichts anderes haben –

BIEDERMANN Oder ein Glas Wein?

SCHMITZ Warum nicht.

BIEDERMANN Anna!

SCHMITZ Aber nur wenn ich nicht störe, Herr Biedermann. Ich möchte nicht aufdringlich sein –

Anna kommt herein

ANNA Herr Biedermann!

BIEDERMANN Bringen Sie noch ein Glas, Anna.

ANNA Ein Glas –?

SCHMITZ Und wenn es Ihnen nichts ausmacht, Fräulein: ein Stück Brot. Oder was Sie gerade haben. Etwas Butter, etwas kaltes Fleisch oder so, ein paar Gurken. Nur keine Umstände! Was Sie gerade haben.

ANNA Sehr wohl.

Anna geht hinaus

SCHMITZ Nämlich ich habe Hunger.

BIEDERMANN Setzen Sie sich.

SCHMITZ Wovon haben wir gesprochen?

BIEDERMANN Von dem Mißtrauen heutzutage. Mich wundert es ja nicht, offen gesprochen. Keine Zeitung kann man lesen – heute schon wieder: eine halbe Stadt in Flammen. Bitte! Nichts als Brandstifterei. Bitte! Sehen Sie sich bloß diese Bilder wieder an – –!

SCHMITZ Hat Seldwyla denn eine gute Feuerwehr?

BIEDERMANN Das will ich hoffen, mein Herr.

SCHMITZ Mit roten Autos und Sirenen, daß einem das Mark gefriert, alles aus Messing, wie es sich gehört, blitz und blank, ich verstehe, eine kostspielige Sache, aber es muß ja sein – heutzutage... Kein Glaube an Gott, das ist es.

BIEDERMANN Nehmen Sie doch Platz!

SCHMITZ Danke bestens.

Sie setzen sich, Biedermann füllt die Gläser

SCHMITZ Glauben Sie an Gott?

BIEDERMANN Warum?

SCHMITZ Haben Sie keine Sorge, Herr Biedermann, ich bitte Sie nicht um ein Bett. Ich schlafe nie in einem Bett. Kommt nicht in Frage. Ein Unterschlupf auf dem Boden, sehen Sie, das genügt mir vollständig.

BIEDERMANN Prost!

SCHMITZ Prost!

Schmitz läßt hören, wie sehr der Wein ihm mundet

BIEDERMANN Beaujolais.

SCHMITZ Und dazu so ein Feuer im Kamin, nicht übel! Da kann ich stundenlang zusehen, wenn es so knistert und um die Scheiter züngelt. Was gibt es gemütlicheres! Und wie dann das Ganze plötzlich zusammenrutscht, tsch, wie die Funken sprühen...

BIEDERMANN Der Beaujolais dürfte noch etwas wärmer sein.

SCHMITZ Nämlich mein Vater ist Köhler gewesen, müssen Sie wissen. Drum mag ich das Feuer so – Kindheitserinnerungen – kann mich nicht sattsehen an so einem Feuer.

BIEDERMANN Glauben Sie an Gott?

SCHMITZ Ich?

BIEDERMANN Ja.

SCHMITZ Wenn Sie es mir nicht krumm nehmen, Herr Biedermann: – ich habe Mühe.

BIEDERMANN Wieso?

SCHMITZ Nun ja – ich weiß nicht... Die Sintflut, zum Beispiel, wie lange so etwas auf sich warten läßt, langsam macht es einen schon unsicher. Weltkriege sind ja auch kein Trost, finde ich.

Wenn man sich so die Überlebenden anschaut! Eine ganze Arbeit, finde ich, so die Arbeit von einem Herrgott ist es nicht – oder finden Sie?

BIEDERMANN Ich muß schon sagen –

SCHMITZ Sie lachen!

BIEDERMANN Sie haben schon eine Art, mein Herr, sich auszudrücken –

SCHMITZ Nichts für ungut, Herr Biedermann. Meinetwegen müssen Sie nicht an Gott glauben. Ich fragte nur so. Die meisten Leute glauben heutzutage an die Feuerwehr.

Anna kommt zurück

SCHMITZ Ah!

ANNA Kaltes Fleisch haben wir leider keins.

SCHMITZ Das genügt, Fräulein, das genügt. Wurst und Käse! – bloß den Senf haben Sie vergessen.

ANNA Verzeihung.

SCHMITZ Aber nur wenn Sie haben, Fräulein –.

Anna geht wieder

BIEDERMANN Sie kennen mich, sagten Sie?

SCHMITZ Sozusagen.

BIEDERMANN Woher?

SCHMITZ Von Ihrer besten Seite, Herr Biedermann, nur von Ihrer besten Seite. Gestern abend an Ihrem gemütlichen Stammtisch. Sie haben mich nicht bemerkt, ich weiß, Sie haben sich so ereifert. Mit Recht! Eine unmenschliche Welt, das kann man wohl sagen. Aufhängen, sagten Sie, sollte man alle diese Brandstifter! Sie sind ein Mensch, der das Unrecht in der Welt nicht leiden kann, das habe ich schon gemerkt, Herr Biedermann. Sie haben noch Ideale. Die ganze Wirtschaft hat Ihnen zugehört, Herr Biedermann, und genickt, jedesmal wenn Sie in Ihrer Ecke drüben sagten: Freiheit! Oder: Aufhängen sollte man sie! – da habe ich mir im stillen gedacht: Menschen wie Sie, das ist es, was wir brauchen.

BIEDERMANN Jaja, gewiß, aber –

SCHMITZ Kein Aber, Herr Biedermann, Sie haben Ideale. Sie glauben noch an das Gute in sich selbst – nicht wahr?

BIEDERMANN Schon –

SCHMITZ Sonst würden Sie mich nicht bewirten mit Brot und Wein, Herr Biedermann, sogar mit Butter und Gurken und Käse! Gurken sind doch meine Leibspeise!

BIEDERMANN Dann lassen Sie es sich schmecken.

SCHMITZ Sie wissen halt noch, was Gerechtigkeit ist. Ich habe mich nicht getäuscht, Herr Biedermann. Sie sind noch ein Mensch, der sich ein Gewissen leistet...

Das Telefon klingelt

BIEDERMANN Sie entschuldigen.

SCHMITZ Aber bitte.

Biedermann am Telefon

BIEDERMANN Biedermann. / Meine Frau ist nicht zu Hause, nein. Wer ist denn am Apparat? / Wenn Sie schluchzen, Frau Knechtling, verstehe ich kein Wort. / Darauf kann ich Ihnen nicht antworten, Frau Knechtling, ich habe hier einen Gast, den ich nicht mit geschäftlichen Gesprächen belästigen möchte.

SCHMITZ Soll ich...

BIEDERMANN Nein, bleiben Sie ruhig. / Das habe ich zu meinem Gast gesagt. Daß Sie nicht ruhig bleiben, Frau Knechtling, verstehe ich, wenn Ihr Mann vom Gashahn redet, ich verstehe Sie vollkommen, Frau Knechtling. / Wozu wollen Sie denn mit meiner Frau sprechen? / Weil meine Frau in den Ferien ist, ganz einfach. / Mindestens bis Mittwoch. / Bitte sehr, Frau Knechtling, bitte sehr.

BIEDERMANN Wovon sprachen wir?

SCHMITZ Vom Dachboden, glaube ich.

BIEDERMANN Sie nehmen noch ein Glas?

SCHMITZ Ich dachte nur, es macht am wenigsten Umstände, wenn ich droben im Estrich schlafe. Aber ich will mich ja nicht aufdrängen, Herr Biedermann, ich will Ihre Güte nicht mißbrauchen. Ich dachte bloß, weil es draußen so in Strömen regnet –.

Biedermann, ohne darauf einzugehen, füllt die Gläser

BIEDERMANN Ihr Vater, sagen Sie, ist Köhler gewesen?

SCHMITZ Ja.

BIEDERMANN Eine harte Kindheit, denke ich, so eine Kindheit in den Wäldern.

SCHMITZ Kann man wohl sagen.

BIEDERMANN Jetzt ist der Beaujolais richtig.

Anna kommt herein

SCHMITZ Ah, der Senf. Danke sehr, Fräulein.

ANNA Bitte sehr.

Anna geht wieder

SCHMITZ Tja, Herr Biedermann, wenn ich so an meine Kindheit denke...

Ansage 2

VERFASSER Hier, liebe Hörer, überspringen wir ein Stück. Eine Kindheit in den Wäldern, die harte Jugend eines Köhlerbuben, der ein Ringer wird und mit dem Zirkus durch die halbe Welt und endlich nach Seldwyla kommt, es wäre die einzige poetische Stelle unserer Sendung, aber erstens dauert diese Geschichte allein eine Stunde und zweitens ist sie, was nur Herr Biedermann nicht merkt, nichts als ein schmitziger Schwindel – Sie hören die beiden Herren, nachdem sie eine zweite Flasche geleert haben, droben auf dem Dachboden, wo sie einander Gutenacht flüstern; leise, damit Anna nicht erwache.

Szene 2

Alles wird geflüstert

BIEDERMANN Das wäre alles, glaube ich.

SCHMITZ Sie wollten mich noch etwas fragen?

BIEDERMANN Hoffentlich haben Sie nicht kalt!

SCHMITZ Keine Sorge.

BIEDERMANN Irgendwo gibt es noch ein Ziegenfell, glaube ich, sogar ein altes Sofa. Sie nehmen sich einfach, was sie brauchen.

SCHMITZ Keine Sorge.

BIEDERMANN Es ist mir einfach nicht recht, Herr Schmitz, daß Sie kein richtiges Bett wollen – eigentlich ist es verboten...

SCHMITZ Was geht das denn die Polizei an?

BIEDERMANN Scht!

SCHMITZ Soll einer kommen, wenn er einen Kinnhaken will!

BIEDERMANN Scht!

SCHMITZ Was wollten Sie noch fragen?

BIEDERMANN Sie finden mich vielleicht spießig, Herr Schmitz, heutzutage – Sie nehmen es mir nicht übel, Herr Schmitz, ich meine bloß: Sie sind doch nicht etwa ein Brandstifter?

SCHMITZ Herr Biedermann!?

Schmitz lacht

BIEDERMANN Scht!

Sie flüstern

BIEDERMANN Kein Wort mehr – bitte – damit Anna nicht erwacht... Schlafen Sie gut!

SCHMITZ Sie auch, Herr Biedermann, Sie auch...

Ansage 3

VERFASSER Am andern Morgen, als Herr Biedermann aus seinem Schlafpulverschlaf erwacht, erkennt er nicht ohne Erleichterung, daß in der Tat (im Widerspruch zu seinen verworrenen Träumen) nichts geschehen ist: sein Haus und Seldwyla, siehe da, stehen noch immer! Von Brandstiftung keine Spur. Immerhin hat Herr Biedermann sich vorgenommen, den fremden Gesellen wieder auf den Weg zu schicken – auf nette Art, versteht sich, auf eine Art, die keinesfalls verletzen soll.

Szene 3

BIEDERMANN Wie haben Sie denn geschlafen?

SCHMITZ Danke, Herr Biedermann. Und Sie?

BIEDERMANN Ich denke, Sie haben einen langen Weg vor sich. Herr Schmitz, Sie müssen ein tüchtiges Frühstück nehmen. Bedienen Sie sich! Vielleicht nehmen Sie ein weiches Ei?

SCHMITZ Zwei.

BIEDERMANN Anna!

SCHMITZ Sie sehen, Herr Biedermann, ich fühle mich schon wie zu Hause...

Anna kommt herein

BIEDERMANN Anna, noch ein weiches Ei!

ANNA Sehr wohl.

SCHMITZ Dreieinhalb Minuten, Fräulein, höchstens.

Anna geht hinaus

BIEDERMANN Herr Schmitz: –

SCHMITZ Das hätte ich wohl nicht sagen sollen!

BIEDERMANN Was?

SCHMITZ Das mit den dreieinhalb Minuten. Das Fräulein hat mich angesehen, mein Gott! Oft habe ich geradezu das Gefühl, es paßt ihr nicht, daß ich hier zu Gaste bin – sie möchte mich am liebsten in den Regen hinausschicken.

BIEDERMANN Kümmern Sie sich nicht um Anna!

SCHMITZ Ich möchte nicht lästig sein.

BIEDERMANN Herr Schmitz: –

SCHMITZ Sagen Sie doch einfach: Sepp.

BIEDERMANN Lassen Sie uns ganz offenherzig reden, Herr Schmitz, Sie wissen ja, daß ich kein Spießer bin, und das Dienstmädchen soll sich denken, was es will – nur...

BIEDERMANN Hier ist Käse, bedienen Sie sich doch, hier ist Butter!

SCHMITZ Und Sie?

BIEDERMANN Anna hat Angst, Sie seien ein Brandstifter! Natürlich habe ich sie ausgelacht! Andererseits müssen Sie schon verstehen – Hier ist Marmelade! – Ich möchte Sie in keiner Weise kränken, Herr Schmitz...

SCHMITZ Sie möchten mich los sein...

BIEDERMANN So würde ich es nicht sagen!

SCHMITZ Wie würden Sie es denn sagen?

BIEDERMANN Sie müssen jetzt nicht denken, Herr Schmitz, daß auch ich Sie für einen Brandstifter halte. Nichts liegt mir ferner, Herr Schmitz, glauben Sie mir. Andererseits – Nicht, daß ich mich über ihr bisheriges Verhalten irgendwie zu beklagen hätte, Herr Schmitz, ganz und gar nicht –

SCHMITZ Ich schmatze, ich weiß.

BIEDERMANN Aber ich bitte Sie!

SCHMITZ Ein Mensch, der schmatzt – Sagen Sie es nur rundheraus, Herr Biedermann, ich gehe Ihnen auf die Nerven! Das haben Sie mir schon im Waisenhaus immer gesagt: Schmitz, schmatze nicht! Damit verscherze ich mir jede menschliche Beziehung, ich weiß.

BIEDERMANN Unsinn!

SCHMITZ Woher soll unsereiner schon die Erziehung haben? Köhlerhütte, Waisenhaus, Zirkus – es gehört sich auch nicht, daß man die Semmelchen in den Kaffee tunkt, ich weiß, der Willi hat es mir schon oft gesagt, mein Freund: ich werde mich nie mit besseren Leuten unterhalten können, ein Kerl, der schmatzt –

BIEDERMANN Das reden Sie sich ein!

SCHMITZ Leider nicht, Herr Biedermann. Sie sind eine Seele von Mensch, aber irgendwo gibt es einfach einen Punkt, Menschlichkeit hin, Menschlichkeit her, ich mache Ihnen keinen Vorwurf, daß Sie mich jetzt in diesen strömenden Regen schicken, Sie sind ein Mensch guten Willens, Herr Biedermann, aber was können Sie denn dafür, daß ich kein Benehmen habe?

BIEDERMANN Aber mein lieber Herr Schmitz!

SCHMITZ – keine Kinderstube.

BIEDERMANN Wer sagt das denn!

SCHMITZ – keine Kultur.

BIEDERMANN Herrgott im Himmel!

SCHMITZ Es ist ein Jammer.

BIEDERMANN Sie machen es mir wirklich schwer...

SCHMITZ Es fehlte mir einfach die Mutter, das ist es, Herr Biedermann, sehen Sie: die Mutter.

Schmitz schluckt

BIEDERMANN Aber Sepp!

SCHMITZ Ich weiß, Herr Biedermann, nur darum schicken Sie mich fort –

BIEDERMANN Mißverstehen Sie mich doch nicht!

SCHMITZ Ich verstehe Sie vollkommen. Ein Mensch, der schmatzt –

BIEDERMANN Ich schicke Sie ja gar nicht fort!

Anna kommt herein

BIEDERMANN Was ist denn?

ANNA Die weichen Eier.

BIEDERMANN Ach so.

ANNA Bitte sehr.

Geht wieder

BIEDERMANN Ich habe Sie wirklich nicht verletzen wollen, mein Herr, wirklich nicht. Ich bin der letzte, der sich um Äußerlichkeiten kümmert. Das können Sie mir glauben. Ich habe nichts gegen die Armen. Im Gegenteil, es ist mir eine Freude, Gutes zu tun, ein Bedürfnis –

SCHMITZ Eben. –

BIEDERMANN Sie müssen nichts Falsches von mir denken…

Das Telefon klingelt

BIEDERMANN Nun essen Sie aber die weichen Eier!

Biedermann nimmt das Telefon ab

BIEDERMANN Biedermann. / Guten Morgen, Herr Knechtling. Was ist denn schon wieder? / Natürlich bleibe ich dabei, ich weiß nicht, wozu Sie nochmals anrufen, Sie können mich doch nicht Tag für Tag mit dieser Lappalie belästigen. / Wie bitte? / Beteiligung! das ist ja wohl nicht Ihr Ernst. / Weil es lächerlich ist, mein Herr, vollkommen lächerlich. Daß Sie an unserer Erfindung beteiligt sind, das hat mir noch gefehlt, wo Sie genau wissen, daß unser Haarwasser überhaupt keine Erfindung ist! / Ich warne Sie, Herr Knechtling, ein Prozeß kostet Geld, aber wenn Sie es sich leisten können, einen Anwalt zu ernähren, bitte sehr. / Vor Gericht, bitte sehr, aber Sie werden diesen Prozeß nicht überleben, mein Bester, das garantiere ich Ihnen. / Bitte sehr.

Hängt auf

BIEDERMANN Ist es recht?

SCHMITZ Was?

BIEDERMANN Das Ei.

SCHMITZ Gerade recht. –

BIEDERMANN Sie gestatten, Herr Schmitz, daß ich rauche?

SCHMITZ Aber bitte.

BIEDERMANN Wir sind unterbrochen worden.

SCHMITZ Sie sagten, es ist Ihnen ein Bedürfnis, Gutes zu tun...

Ansage 4

VERFASSER Weiter, liebe Hörer, ist nichts geschehen, was des Sendens würdig wäre – bis zur Heimkehr der Frau Biedermann. Zwei oder drei Tage später. Es ist Mitternacht, um seiner Gattin, die es ohnehin etwas mit den Nerven hat, jede Aufregung zu ersparen, hat Herr Biedermann seinerseits ein doppeltes Schlafpulver genommen und mit keinem Wort erwähnt, daß ein Gast auf dem Dachboden wohnt.

Szene 4

FRAU B. Gottlieb! Hörst du nicht?

Biedermann schnarcht

FRAU B. Gottlieb!

BIEDERMANN Eh –?

FRAU B. Ein Einbrecher, Gottlieb, ein Einbrecher!

BIEDERMANN Unsinn –.

Sie schüttelt den Schnarcher neuerdings

BIEDERMANN Was hast du denn?

FRAU B. Gottlieb – da hustet einer.

BIEDERMANN So laß ihn doch.

FRAU B. Auf unserem Dachboden!

Man hört ein schwaches Husten

FRAU B. Schon wieder! Ganz deutlich.

BIEDERMANN Natürlich ist einer auf dem Dachboden. Das weiß ich schon lange...

FRAU B. Was weißt du schon lange?

BIEDERMANN Kannst ihm doch das Husten nicht verbieten...
Man hört neuerdings das Husten

FRAU B. Wer ist das denn?
Biedermann schnarcht schon wieder

FRAU B. Gottlieb –?

Ansage 5

VERFASSER Frau Biedermann zeigt auch am anderen Morgen durchaus kein Verständnis für diese Gastfreundschaft, obschon wiederum nichts geschehen ist. Ihr Haus und Seldwyla, siehe da, stehen noch immer. Von Brandstiftung kann nicht die Rede sein. Frau Biedermann läßt sich trotzdem aufregen. Ihr Bedürfnis Gutes zu tun, ist geringer, und insofern hat sie es natürlich leichter, vernünftig zu sein.

Szene 5

Biedermann gurgelt, dann heftig

BIEDERMANN Er ist kein Brandstifter!

FRAU B. Woher weißt du das?

BIEDERMANN Ich habe ihn ja selbst gefragt –
Pause

FRAU B. Warum hast du ihm nicht wenigstens die kleine Kammer gegeben –

BIEDERMANN Welche Kammer?

FRAU B. Unten. Neben der Waschküche.

BIEDERMANN Er wollte den Dachboden.

FRAU B. Siehst du!

BIEDERMANN Was heißt das schon. Wenn er ein wirklicher

Brandstifter wäre, meinst du, er würde sich so verdächtig machen! Und überhaupt, du mit deiner Kammer neben der Waschküche: als hätten wir nicht schon einmal Strafe zahlen müssen, weil das Mädchen dort unten geschlafen hat. Das weißt du ganz genau, Babette. Schlafen in dieser Kammer ist gar nicht gestattet!

FRAU B. Und auf dem Dachboden?

BIEDERMANN Auch nicht! Ich weiß. Das ist es ja, diese verfluchte Einmischerei überall, was ich immer sage, diese Verstaatlichung, alles wird einem vorgeschrieben, Mietpreise und Blitzableiter und alles. Daß ein Hauseigentümer nicht machen kann, was er will, das fehlte noch!

Hinschmeißen

Ich lasse mir meine menschlichen Regungen nicht verbieten.

FRAU B. Wie heißt er denn?

Biedermann seift und spült die Hände

BIEDERMANN – ganz abgesehen davon, meine Liebe, daß ich genug andere Sorgen habe! Ich sage dir ja, um zehn muß ich beim Anwalt sein.

FRAU B. Wieso eigentlich?

BIEDERMANN Wegen Knechtling.

FRAU B. Warum hast du ihm denn gekündigt?

BIEDERMANN Weil ich ihn nicht mehr brauche, sehr einfach.

FRAU B. Du warst aber sehr zufrieden mit ihm.

BIEDERMANN Das ist es ja, was er jetzt ausnutzen will.

Händewaschen

Das ist der Dank. Vierzehn Jahre hat er für mich arbeiten dürfen –

FRAU B. Was will er denn?

BIEDERMANN Beteiligung an seiner Erfindung!

FRAU B. Hast du es ihm denn versprochen?

BIEDERMANN Aber nicht schriftlich. Damals konnte ja niemand wissen, daß diese Sache geradezu ein Schlager wird.

Biedermann stellt das Wasser ab

Kurz und gut, ich will nicht, daß du die Polizei anrufst. Schmitz heißt er. Ein armer Kauz, aber du wirst ihn schon kennenlernen, wenn er zum Frühstück kommt – Wo ist denn mein frisches Hemd?

FRAU B. Zum Frühstück?

BIEDERMANN Kannst ihn doch nicht verhungern lassen!

FRAU B. Du hast es ja in der Hand, das Hemd.

BIEDERMANN Und überhaupt, was ist das für ein Ausdruck: ich falle auf die Armen herein! Und du bist die Tochter eines Pfarrers, ich muß schon sagen!

Man hört ein Gepolter von oben

BIEDERMANN Was war das?

Man hört das Gepolter nochmals

FRAU B. Red dir ein, was du willst, Gottlieb! Das mache ich nicht mit!

BIEDERMANN Wohin?

FRAU B. Auf den Dachboden.

BIEDERMANN Babette!

FRAU B. Wenn du zu feige bist, den Kerl aus dem Haus zu schikken –

BIEDERMANN Babette! Ich kann doch nicht in den Unterhosen hinaufgehen – Babette! Babette! – ich geh ja schon, Herrgott im Himmel, natürlich sag ich es ihm...

Ansage 6

VERFASSER Eine Viertelstunde später: –

Szene 6

BIEDERMANN Aufmachen! Aber sofort! Aufmachen! sag ich – oder ich rufe die Polizei...

Die Bodenleiter wird heruntergelassen

SCHMITZ Guten Morgen, Herr Biedermann!

BIEDERMANN – Meine Herren...

DER ANDERE Morgen!

SCHMITZ Hoffentlich haben wir Sie nicht geweckt, Herr Biedermann, mit diesem dummen Gepolter vorhin. Ich habe dem
Willi schon gesagt, das geht natürlich nicht, so ein Gepolter.

BIEDERMANN Ich muß schon sagen –

SCHMITZ Soll nicht wieder vorkommen, Herr Biedermann.

BIEDERMANN – wieso sind Sie plötzlich Ihrer zwei?

DER ANDERE Siehst du.

BIEDERMANN Ohne mich zu fragen! Das ist mir noch nicht vorgekommen. Ohne mich zu fragen! Mein Dachboden ist ja
schließlich kein Asyl!

DER ANDERE Siehst du.

BIEDERMANN Schließlich und endlich, meine Herren, bin ich der
Hauseigentümer. Was soll das eigentlich heißen! Ich habe
wirklich alle Lust, meine Herren, Sie auf die Straße zu werfen,
und zwar unverzüglich!

DER ANDERE Siehst du.

BIEDERMANN Unverzüglich!

DER ANDERE Ich habe ja gesagt, du kannst das nicht machen,
Sepp, ohne mich vorzustellen. Schließlich ist es sein Dachboden, Herr Biedermann hat nämlich ganz recht. Was ist das für
eine Art? Ich dachte, du hast ihn vorbereitet –

SCHMITZ Habe ich ja.

DER ANDERE Ich verstehe Sie durchaus, Herr Biedermann, ich
würde mir das auch nicht gefallen lassen.

BIEDERMANN Wer sind Sie denn überhaupt?

DER ANDERE Mein Name ist Eisenring.

SCHMITZ Der Willi, ich sagte Ihnen doch, mein Freund aus dem
Zirkus, der apokalyptische Radler –

BIEDERMANN Machen Sie jetzt keine faulen Witze. Es ist mir bit-
terernst. Meine Frau hat die halbe Nacht nicht schlafen können.

EISENRING Siehst du.

BIEDERMANN Und überhaupt – was machen Sie da eigentlich?
Wenn ich fragen darf. Was sollen diese Kanister hier? Bitte,
und der ganze Dachboden ist voll davon? –

EISENRING Ja eben.

BIEDERMANN Was heißt das: Ja eben!

EISENRING Sepp hat mir sagen lassen, es sei ein großer Dachboden. Zwölf mal siebzehn Meter! hast du behauptet. Und jetzt, wie stehen wir da! Man kann doch die Kanister nicht auf der Straße stehen lassen. Das werden Sie schon verstehen, Herr Biedermann.

BIEDERMANN Nichts verstehe ich, meine Herren, überhaupt nichts. Was zum Teufel haben diese Kanister auf meinem Dachboden zu tun? Meine Frau bekommt einen Schlag, wenn sie das sieht.

EISENRING Siehst du.

BIEDERMANN Sagen Sie doch nicht immer: Siehst du!

EISENRING Du kannst das einer Frau nicht zumuten, Sepp, einer Hausfrau –

BIEDERMANN Was ist denn überhaupt in diesen Kanistern?

EISENRING – ich kenne die Hausfrauen.

BIEDERMANN Bitte! da! Riechen Sie! – Benzin.

SCHMITZ Was haben Sie denn vermutet?

BIEDERMANN Mein ganzer Boden voll Benzin!?

EISENRING Drum rauchen wir ja auch nicht, Herr Biedermann.

BIEDERMANN Sind Sie eigentlich wahnsinnig!?

Anna ruft durchs Treppenhaus

ANNA Herr Biedermann? Herr Biedermann?

Sie sprechen gedämpfter

BIEDERMANN Wenn Sie diese Kanister nicht augenblicklich aus dem Hause schaffen, aber augenblicklich, sage ich –

EISENRING Dann rufen Sie die Polizei.

BIEDERMANN Jawohl!

EISENRING Siehst du.

Anna ruft wie zuvor

ANNA Herr Biedermann!

BIEDERMANN Was ist denn?

ANNA Telefooon!

Wieder in gedämpftem Ton

BIEDERMANN Sie brauchen gar nicht zu lächeln, meine Herren, es ist mein heiliger Ernst! Ich dulde kein Benzin auf meinem Dachboden. Ein für allemal! Sehen Sie zu, daß diese Kanister wieder verschwinden –

ANNA Herr Biedermann!

BIEDERMANN Jaaa! Ich komme schon.

Biedermann steigt die Leiter hinunter

SCHMITZ Sehen Sie zu, daß die Kanister wieder verschwinden...

EISENRING Eine Seele von Mensch.

SCHMITZ Habe ich es nicht gesagt?

EISENRING Aber von Frühstück kein Wort!

Unten in der Wohnung

FRAU B. Hast du es ihm gesagt?

BIEDERMANN Was?

FRAU B. Du bist ja ganz bleich, Gottlieb –

BIEDERMANN Wer ist denn am Apparat?

ANNA Polizei.

BIEDERMANN Wieso das?

FRAU B. Ich habe nicht angerufen, Gottlieb –

BIEDERMANN Polizei?

FRAU B. Ehrenwort!

BIEDERMANN Nimm du es ab. Du weißt von nichts. Frage einfach, worum es sich handelt. Ich bin nicht zu Hause.

Frau Biedermann am Telefon

FRAU B. Ja, Frau Biedermann. / Nein, leider nicht, mein Mann ist nicht zu Hause. Ich habe es gemeint, aber leider nicht, Herr Kommissar, er ist einfach nicht zu Hause und im Geschäft wohl auch nicht, er muß gerade ausgegangen sein. / Worum handelt es sich denn? / Frau Biedermann, ja, persönlich. / Ja. / Ja. / Ach. / Ja. / Selbstverständlich. / Ich werde es ihm sagen. / Bitte sehr, Herr Kommissar, bitte sehr.

Sie hängt den Hörer auf

BIEDERMANN Und?

FRAU B. Wegen Knechtling. Er habe sich unter den Gasherd gelegt und seine Frau sagt, die Polizei soll sich bei dir erkundigen.

BIEDERMANN Wieso bei mir?

FRAU B. Du sollst die Polizei anrufen, sobald du wieder zu Hause bist.

BIEDERMANN Ist er tot?

FRAU B. Ich glaube nicht –

Anna kommt herein

ANNA Das Frühstück ist bereit.

Ansage 7

VERFASSER Hier, liebe Hörer, machen wir eine kleine Pause für unsere Darsteller. Und für den Fall, daß Sie später aufgedreht haben: wir befinden uns in der ersten Halbzeit unserer Sendung HERR BIEDERMANN UND DIE BRANDSTIFTER, eine unwahrscheinliche Geschichte. Herr Biedermann hat soeben entdecken müssen, daß sein Dachboden voller Kanister ist, die nach Benzin stinken, und kann sich der Vermutung kaum erwehren, daß diese Kanister tatsächlich nichts anderes enthalten als Benzin. Der Verdacht, daß es sich um eine Brandstifterei handeln könnte, liegt gewissermaßen auf der Hand – Ja, Herr Biedermann, Sie möchten etwas sagen?

BIEDERMANN Kunststück!

VERFASSER Wie meinen Sie das?

BIEDERMANN Sie haben es ja einfach, mein Herr, den Weisen zu spielen, verdammt einfach! Wenn man es so hinterdrein betrachtet, klar! Jetzt, wo jedermann weiß, wie es ausgegangen ist – aber damals Herrgott im Himmel, ich sagte mir eben: Man muß Vertrauen haben, man soll an das Gute in den Menschen glauben, nicht an das Böse – und überhaupt –

VERFASSER Sprechen Sie sich aus.

BIEDERMANN Wären Sie an meiner Stelle gewesen, Herrgott im Himmel, was hätten Sie denn getan?

VERFASSER Sie haben vollkommen recht, Herr Biedermann: das ist die Frage, die mich beschäftigt.

BIEDERMANN Sie sind der Verfasser – Kunststück! Wenn man das Ende voraus weiß...

VERFASSER Sie finden mich überheblich.

BIEDERMANN Gelinde gesagt!

VERFASSER Herr Biedermann, Sie dürfen eins nicht vergessen: Ich habe Sie verfaßt (so wie Sie hier sind) und kein Verfasser kann etwas darstellen was nicht auch in ihm selbst ist: Beispielsweise Ihr kategorisches Bedürfnis, Ruhe und Frieden zu haben, und dementsprechend Ihre erstaunliche Routine, sich selbst zu belügen, die offenkundigsten Tatsachen nicht zu sehen, damit Sie keine Konsequenzen ziehen müssen, Ihre rührende Hoffnung, daß die Katastrophe, die Sie fürchten, sich vermeiden lasse, indem Sie sich in Vertrauen hüllen und für einen Menschen guten Willens halten: woher denn, meinen Sie, sollte der Verfasser um all diese harmlos-gefährlichen Feigheiten wissen, Herr Biedermann, wenn nicht aus sich selbst? Und auch unsere geschätzten Hörer, glauben Sie mir, werden Ihnen nichts nachtragen, wenn ich Sie lächerlich mache, nur mir werden sie es nachtragen. Vergessen Sie nicht, Herr Biedermann, daß Sie eine erfundene Figur sind: Herr Biedermann in uns selbst.

BIEDERMANN Hm.

VERFASSER Vielleicht erzählen Sie uns ganz kurz, Herr Biedermann, wie Sie jenen Abend verbrachten, als Sie wußten: der Dachboden ist voll Benzin.

BIEDERMANN Ich habe gelesen.

VERFASSER Was?

BIEDERMANN Das Apostelspiel von Max Mell.

VERFASSER Ah.

BIEDERMANN Es erschüttert mich jedesmal aufs neue. Ich weiß nicht, ob Sie es kennen, das Apostelspiel von Max Mell.

VERFASSER Was erschüttert Sie daran?

BIEDERMANN Eigentlich hatte ich Stammtisch, wie immer am Donnerstag, aber ich ging nicht –

VERFASSER Warum nicht?

BIEDERMANN Ich hatte es satt, dieses Gerede von den Brandstiftern, es ist ja lächerlich. Wo kommen wir hin, wenn man jeden Menschen, bloß weil man ihn nicht kennt, für einen Brandstifter hält! Dazu gehe ich ja nicht an den Stammtisch, um mich verrückt zu machen, Herrgott im Himmel, ich hatte ihnen gesagt: Kein Wort mehr davon! Schon am Dienstag; ich hatte ihnen erzählt, wie dieser arme Landstreicher gekommen ist – und so… Wir sind wirkliche Freunde, wissen Sie, wir kegeln zusammen seit elf Jahren, und ich mag keinen Krach, wissen Sie, jedenfalls nicht am Feierabend, im Grunde sind wir immer einverstanden, ich habe ihnen gesagt: Man muß Vertrauen haben, man soll an das Gute in den Menschen glauben –.

VERFASSER Was sagten Ihre Freunde dazu?

BIEDERMANN Nun ja, natürlich, einverstanden, aber – Ich lasse mir keine Angst machen, wissen Sie, und mit Freunden, die nicht an meine Menschenkenntnis glauben, kann ich nicht kegeln!

VERFASSER Das verstehe ich.

BIEDERMANN Dann bleibe ich lieber zu Hause. Sie verstehen: daß sie die Polizei anrufen, um meinen Gast zu holen, das war natürlich ein Scherz. Sie wußten genau: wenn sie die Polizei in mein Haus schicken, dann haben wir ausgekegelt. Sie machten es auch nicht. Immerhin – ich hatte dieses Gerede einfach satt! Ein für allemal!

VERFASSER Und seither kegeln Sie überhaupt nicht mehr?

BIEDERMANN Natürlich kegeln wir, aber wir reden nicht mehr von der Geschichte; die andern hatten ja auch solche Halunken unter ihrem Dach –

VERFASSER Ach!?

BIEDERMANN Natürlich! –

Es entsteht eine kleine Pause: ein Streichholz wird angerieben

VERFASSER Verzeihung! Sie rauchen auch?

BIEDERMANN Nicht mehr.

VERFASSER Wir sprachen vom Apostelspiel.

BIEDERMANN Ja, eben: – da kommen doch auch zwei Halunken in das Haus, die nichts als Mord und Raub im Sinne haben. Aber dann, Sie erinnern sich, treffen Sie dieses gläubige Mädchen, fast noch ein Kind, das sie für zwei Apostel hält. Sie grinsen natürlich darüber, die beiden Halunken, aber siehe da, der schlichte Glaube dieses frommen Kindes zwingt sie unversehens, abzulassen von ihren verbrecherischen Plänen, einfach abzulassen.

VERFASSER Ich erinnere mich.

BIEDERMANN Und fromm zu werden wie das Kind.

VERFASSER Ich erinnere mich ziemlich genau: – das Mädchen war aber wirklich fromm?

BIEDERMANN Und all das in einer dichterischen Sprache, wissen Sie…

VERFASSER Was haben Sie nachher gemacht?

BIEDERMANN Ich bin eingeschlafen.

VERFASSER Erschüttert wie Sie waren.

BIEDERMANN Das heißt, später bin ich noch mal aufgewacht, meine Frau war nicht zu Hause, am Donnerstag hat sie ihren Bridge-Abend – ich hatte bereits meine Hosen wieder angezogen, um Mitternacht war ich entschlossen, die beiden Kerle einfach auf die Straße zu stellen!

VERFASSER Um Mitternacht?

BIEDERMANN Was mich irre machte, waren einfach diese Kanister – ich wußte nicht mehr, was ich denken sollte!

VERFASSER Das heißt: Sie dachten immerhin an die Möglichkeit, daß Schmitz und Eisenring (trotz Apostelspiel) Brandstifter sein könnten?

BIEDERMANN Was denkt man nicht alles, wenn man nicht schlafen kann. Einmal stand ich schon draußen im Treppenhaus, ich war wirklich drauf und dran, wissen Sie, auf den Dachboden zu gehen und die Kanister einfach durch die Luke zu schmeißen, eigenhändig, wissen Sie, rücksichtslos!

VERFASSER Aber?

BIEDERMANN Ich glaube, dann kam gerade meine Frau nach Hause – und überhaupt… Und am anderen Morgen, wie Sie wissen –

VERFASSER Ja, wir wollen es spielen! *Der Gong ertönt* Es muß eine schwere Zeit für Sie gewesen sein, Herr Biedermann, all diese inneren Kämpfe, die immer wieder damit endeten, daß Sie nichts unternehmen konnten.

BIEDERMANN Das kann man wohl sagen!

VERFASSER Das ist es, was man Schicksal nennt.

Szene 7

Biedermann pfeift vor sich hin

FRAU B. Was soll der Kranz denn kosten?

BIEDERMANN Das spielt doch keine Rolle.

FRAU B. Diese arme Frau Knechtling, sie kann einem wirklich leid tun –

Biedermann blättert in einer Zeitung

FRAU B. Dann gehe ich also zum Blumen-Benz.

BIEDERMANN Ja, ich wäre dir sehr dankbar.

Frau Biedermann geht hinaus, Biedermann kommt wieder ins Pfeifen

Ansage 8

VERFASSER Ich bitte den Hörer, dieses Pfeifen unseres Herrn Biedermann (aus dem Rosenkavalier, wenn ich nicht irre) in keiner Weise zu mißdeuten. Es ist einfach ein strahlender Morgen; der Wind hat gedreht, Föhn –

Biedermann legt seine Zeitung weg

VERFASSER Herr Biedermann hat eine Idee!

Biedermann geht aus dem Zimmer

Seine Zuversicht, sein schöner Glaube an die Menschheit, selbst wenn sie auf dem Dachboden wohnen, hat sich bewährt. Sein Haus und Seldwyla, die schmucke Stadt, stehen noch immer, von Brandstiftung nicht die Spur. Und gesetzt den Fall, die beiden Gesellen führten wirklich etwas im Schilde, gerade dann wäre es nicht ratsam grob zu werden. Solange ich ihr Freund bin, werden sie wenigstens mich verschonen. Das ist die Idee! Und wenn Herr Biedermann an diesem Morgen auf den Dachboden hinaufgeht, um Schmitz und Eisenring zu einem netten Abendessen einzuladen, so ist das nicht Tücke, nicht Berechnung, sondern eines jener herzhaften Bedürfnisse, die man zuweilen hat und die man, wie Herr Biedermann sich sagt, nicht immer unterdrücken soll.

Tauben gurren

Es ist schade, liebe Hörer, daß Sie dieses Bild nicht sehen können: Eisenring an der offenen Lukarne, er steht auf den Kanistern und füttert gerade eine weiße Taube...

Klopfen an der Tür

Die Türe zum Dachboden steht offen. Herr Biedermann aber, der Hauseigentümer, klopft trotzdem, wie es sich gehört.

Szene 8

EISENRING Herein! Herein!

BIEDERMANN Sie gestatten –

EISENRING Bloß keine Umstände, Herr Biedermann!

BIEDERMANN Guten Morgen.

EISENRING Morgen.

BIEDERMANN Wo ist denn Ihr Freund?

EISENRING Der Sepp? An der Arbeit. Ich habe ihn geschickt, um Holzwolle aufzutreiben. Schon vor drei Stunden.

BIEDERMANN Holzwolle –?

Biedermann lacht unsicher

EISENRING Ein hübsches Wetter heute. Der Wind hat gedreht.

BIEDERMANN Was ich sagen wollte: –

EISENRING Föhn, glaube ich.

BIEDERMANN Sie haben ja gar keine Toilette da oben meine Herren. Mitten in der Nacht ist es mir eingefallen.

EISENRING Wir haben die Dachrinne, Herr Biedermann.

BIEDERMANN Ich meine, machen Sie ganz, wie Sie sich wohlfühlen, ich dachte bloß, vielleicht wollen Sie sich einmal waschen oder duschen. Benutzen Sie getrost mein Badezimmer. Ich habe Anna gesagt, sie solle Ihnen zwei Frottierhandtücher hinlegen.

EISENRING Sie sind ja rührend.

BIEDERMANN Oder wenn Sie sonst einen Wunsch haben?

EISENRING Im Gefängnis, wissen Sie, gab es auch kein Badezimmer!

BIEDERMANN Gefängnis –?

EISENRING Hat Ihnen der Sepp nicht erzählt?

BIEDERMANN Nein.

EISENRING Untersuchungshaft nennen sie es. Wir nennen es Zeitverlust. Nämlich sie haben mir wieder nichts beweisen können... Ich nehme es der Polizei nicht übel, wissen Sie. Heutzutage. Jeder hält den andern für einen Brandstifter.

BIEDERMANN Hm.

EISENRING Oder habe ich nicht recht?

BIEDERMANN Jaja, leider...

EISENRING Tsch! Je mehr man sie füttert, um so dreister werden sie, diese Tauben, Tsch! Tsch!

BIEDERMANN Sie werden lachen, Herr Eisenring: von Ihren Kanistern habe ich heute Nacht geträumt –

EISENRING Tsch!

BIEDERMANN Es ist wirklich Benzin drin?

EISENRING Sie glauben uns nicht, Herr Biedermann?

BIEDERMANN Man weiß ja bei Ihnen nie, ob es nicht Scherz ist. Vor allem der Sepp, ich mag ihn ja von Herzen gern, aber er hat eine Art zu scherzen –

EISENRING Wir lernen das.

BIEDERMANN Was?

EISENRING Scherz ist die drittbeste Tarnung. Die zweitbeste ist Sentimentalität. Die beste aber ist immer noch die blanke und nackte Wahrheit. Komischerweise. Die glaubt niemand... Ich weiß nicht, wo unser Sepp so lange bleibt. Holzwolle ist doch keine Sache. Hoffentlich haben sie ihn nicht geschnappt.

BIEDERMANN Geschnappt?

EISENRING Warum lächeln Sie?

BIEDERMANN Wissen Sie, mein Herr, Sie kommen für mich wie aus einer andern Welt – sozusagen.

EISENRING Unterwelt, meinen Sie.

BIEDERMANN Das hat etwas Faszinierendes für unsereinen. Ich weiß nicht, wie Sie darüber denken, aber grundsätzlich bedaure ich es ja sehr, daß wir menschlich nicht mehr Verbindung haben. Lebt jeder so in seinen Kreisen, wissen Sie, der Arme und der Reiche, dabei sind wir doch alle, abgesehen vom Geld, Menschen, Geschöpfe eines gleichen Schöpfers, meine ich, auch der Mittelstand, Menschen aus Fleisch und Blut und so –... Ich weiß nicht, Herr Eisenring, ob Sie auch Stumpen rauchen?

EISENRING Danke, nein.

BIEDERMANN Nehmen Sie mich nicht als Haarwasser-Biedermann, wie Ihr lieber Freund einmal sagte, sondern als Menschen-Biedermann, und wo, meine ich, wo finden Sie etwas Trennendes zwischen uns?

Biedermann zündet seinen Stumpen an

BIEDERMANN Hand aufs Herz, Herr Eisenring, es sind doch einfach Vorurteile, wenn Leute wie Sie und ich, zum Beispiel, einander nicht die Hände reichen und erkennen, daß wir Brüder sind. Ich rede nicht von einer öden Gleichmacherei, versteht sich, es wird immer Tüchtige und Untüchtige geben, Gott sei Dank, aber hat nicht jeder von uns seine schlaflosen Nächte? Das, sehen Sie, sind doch die Dinge, die uns verbinden. Ein bißchen Idealismus, mein Freund, ein bißchen guten Willen, und wir alle hätten unsere Ruhe und unseren Frieden!... Oder wie stellen Sie sich dazu?

EISENRING Wenn ich offen sein darf, Herr Biedermann: –

BIEDERMANN Aber bitte sehr.

EISENRING Nehmen Sie es mir nicht krumm –

BIEDERMANN Je offener, um so besser!

EISENRING Ich meine, Sie sollten hier wirklich nicht rauchen.

BIEDERMANN Herrgott im Himmel! –

EISENRING Ich habe Ihnen hier keine Vorschriften zu machen, Herr Biedermann, schließlich ist es Ihr eigener Boden, aber Sie verstehen.

BIEDERMANN Selbstverständlich!

EISENRING Zwar sind die Kanister noch verschraubt –

BIEDERMANN Habe ich ganz vergessen!

EISENRING Vor lauter Idealismus, Herr Biedermann. Benzin ist Benzin.

Eisenring pfeift vor sich hin, Rosenkavalier

BIEDERMANN Und was machen Sie denn da die ganze Zeit?

EISENRING Das ist die Zündschnur.

BIEDERMANN – – – –

EISENRING Es soll jetzt noch bessere geben, sagt der Sepp, aber die gibt es in den Zeughäusern noch nicht, und kaufen kommt ja für uns nicht in Frage, jetzt bei dieser Teuerung.

BIEDERMANN Zündschnur? sagen Sie.

EISENRING Wenn Sie so freundlich sein wollen, dieses andere Ende zu halten, damit ich messen kann. Nur einen Augenblick.

BIEDERMANN Wozu brauchen Sie denn diese Zündschnur?

EISENRING Eins, zwei, drei, vier, fünf, sechs, sieben. Sieben Meter, sieben mal zwanzig, das sind hundertundvierzig Minuten, das heißt über zwei Stunden. Genügt. Mit dem Fahrrad sind das vierzig Kilometer sogar auf Nebenstraßen.

BIEDERMANN Was meinen Sie mit dieser Rechnung?

EISENRING Danke, Herr Biedermann, danke sehr.

BIEDERMANN Mich können Sie ja nicht ins Bockshorn jagen, Herr Eisenring, aber ich muß schon sagen, Sie verlassen sich sehr auf den Humor der Leute. Wenn Sie so reden, kann ich mir schon vorstellen, daß man Sie zuweilen in Untersuchungshaft steckt. Nicht alle haben soviel Humor wie ich.

EISENRING Drum muß man die Richtigen finden.

BIEDERMANN Ich kenne Leute, an meinem Stammtisch zum Beispiel, die sehen schon Sodom und Gomorrha wenn einer sich die Zigarre anzündet.

EISENRING Die Leute, die keinen Humor haben, sind genauso verloren, wenn es losgeht. Seien sie froh, Herr Biedermann, daß Sie soviel Humor haben! Ich kenne die Bibel nicht besonders, aber ich glaube, auch die Humorlosen wurden in Sodom und Gomorrha nicht verschont.

Ein paar Kanister fallen um, so daß es poltert

EISENRING Was ist denn, Herr Biedermann?

BIEDERMANN Wenn ich mich setzen darf –

EISENRING Das ist dieser Geruch, ich weiß, wenn man es nicht gewöhnt ist. Sie sind ja ganz bleich. Ich werde gleich die andere Lukarne öffnen, Herr Biedermann –

BIEDERMANN Danke.

Anna ruft im Treppenhaus

ANNA Herr Biedermann! Telefon!

Sprechen etwas gedämpft

BIEDERMANN Was ich Sie habe fragen wollen –

EISENRING Es wird Ihnen gleich besser.

BIEDERMANN Mögen Sie Gans?

EISENRING Eine Gans? Warum?

BIEDERMANN Meine Frau und ich – vor allem ich, meine Frau kennt Sie ja noch gar nicht – ich dachte nur, wenn Sie die Güte hätten, zu einem netten Abendessen zu kommen, Sie und Ihr Freund.

EISENRING Heute?

BIEDERMANN Sagen wir: auf sieben Uhr.

EISENRING Mit Vergnügen, Herr Biedermann, aber machen Sie unsertwegen keine Umstände; wir können sowieso nicht lange bleiben.

ANNA *(im Treppenhaus)* Telefooon!

Biedermann steigt hinunter

BIEDERMANN Also, auf sieben Uhr!

EISENRING Abgemacht!

Eisenring pfeift wieder vor sich hin, auch Rosenkavalier

Ansage 9

VERFASSER Es war Frau Biedermann, die eben anrief und wissen mußte, was der Blumen-Benz auf die Schleife schreiben soll. Unserem treuen Mitarbeiter! Oder einfach: Unvergeßlich!... Es ist jetzt sieben Uhr abends, ein Samstag. Sie hören das Geläut von Seldwyla – leider zum letzten Mal.

BIEDERMANN Man versteht ja seine eigene Stimme nicht, Anna, machen Sie doch das Fenster zu.

Anna schließt das Fenster, das Geläut tönt gedämpfter

BIEDERMANN Ein schlichtes und gemütliches Abendessen, habe ich gesagt. Nehmen Sie bloß diese idiotischen Kandelaber weg! Nur keine Protzerei. Und diese Wasserschale, diese Messerbänkchen, was macht das für einen Eindruck! Ein ganz gewöhnliches Abendessen, habe ich gesagt. Das große Geflügelmesser können Sie lassen, Anna, das brauchen wir. Aber sonst – weg mit diesem Silber und Kristall. Die beiden Herren sollen sich wie zu Hause fühlen – wo ist denn der Korkenzieher?

ANNA Ich hab ihn hingelegt.

BIEDERMANN Sie sehen doch, ich trage meine älteste Hausjoppe, und Sie kommen mit dem silbernen Kübel, um den Wein zu kühlen! Weg damit, sage ich, und lassen Sie mir bloß das weiße Häubchen, Anna, das macht doch den Mann von der Straße verlegen.

ANNA Hier ist der Korkenzieher, Herr Biedermann.

BIEDERMANN Haben wir nicht Einfacheres?

ANNA Der in der Küche, aber der ist rostig.

BIEDERMANN Her damit!

ANNA Und was für Wein, Herr Biedermann?

BIEDERMANN Hole ich schon selber, sehen Sie lieber zu, Anna, daß hier nicht alles so ordentlich ist –!

Frau Biedermann tritt ein

BIEDERMANN Ich frage mich, wozu wir überhaupt ein Tischtuch brauchen, das ist es, was alles so spießerhaft macht!

FRAU B. Gottlieb!

BIEDERMANN Bleib du in der Küche.

FRAU B. Was sagst du dazu, Gottlieb, jetzt schicken die den Kranz hierher! Dabei habe ich ihnen selber die Adresse von Knechtlings aufgeschrieben, schwarz auf weiß. Und die Schleife und alles ist verkehrt!

BIEDERMANN Mache mich jetzt nicht nervös.

FRAU B. »Unserem unvergeßlichen Gottlieb Biedermann«

BIEDERMANN Das ist ja unmöglich!

FRAU B. Und die Rechnung, sagt der Bursche, die haben sie an Knechtling geschickt. Was sagst du dazu!

BIEDERMANN Sollen sie den Kranz wieder zurücknehmen. Kein Problem. Mache mich jetzt nicht nervös, Herrgott im Himmel, ich kann doch nicht überall sein.

Frau Biedermann geht

BIEDERMANN Helfen Sie mir, Anna – wir nehmen das Tischtuch weg.

ANNA Das Tischtuch?

BIEDERMANN Und wie gesagt, es wird nicht serviert. Unter keinen Umständen. Sie stellen die Platten einfach auf den Tisch, die Gans in die Mitte, jeder nimmt sich, was ihn gelüstet, wie bei den Armen – Sehen Sie: ein hölzerner Tisch, nichts weiter, macht sofort eine ganz andere Stimmung. Weg mit dem Damast!... Und was soll eigentlich diese vergoldete Pendule hier?

ANNA Die steht doch immer dort.

BIEDERMANN Sind wir ein Museum?

ANNA Aber Herr Biedermann –

BIEDERMANN Also lassen Sie wenigstens diese kitschigen Kandelaber verschwinden. Sie verstehen mich schon, Anna: schlicht und einfach. Die beiden Herren haben viel durchgemacht in dieser Welt.

ANNA Sehr wohl.

BIEDERMANN Ich bin jetzt im Keller.

Geht hinaus

ANNA Nur keine Umstände!

Das Geläute, das diese Szene begleitet hat, verliert sich. Wir sind im Keller. Man hört Schlüssel, Schritte. Biedermann pfeift wieder seinen Rosenkavalier. Dieses Pfeifen setzt nicht aus, auch wenn Biedermann spricht

VERFASSER Niersteiner Fritzenhölle, Spätlese, das muß ein Weinchen gewesen sein, Herr Biedermann –!

BIEDERMANN Aber nicht zu Gans.

VERFASSER Richtig. Es mußte ja ein roter sein.

BIEDERMANN Und überhaupt so eine Etikette –

VERFASSER Schlicht und einfach konnte man das nicht nennen, ich gebe zu, Schmitz und Eisenring würden etwas verdutzt sein, fürchteten Sie, eher verlegen als erfreut, wenn Sie mit einer solchen Etikette kämen, zu verdattert einfach, um den Wein wirklich genießen zu können.

BIEDERMANN Sie verstehen mich?

VERFASSER Genau.

BIEDERMANN Nicht, daß ich geizig wäre –

VERFASSER Was ich nicht verstehe: warum Sie so ängstlich waren vor Ihren beiden Gästen. Bloß weil es unbemittelte Leute waren? Sie hatten doch diesen beiden nicht das mindeste Unrecht getan.

BIEDERMANN Das darf man wohl sagen!

VERFASSER Warum dieses plötzliche Bedürfnis, schlicht und einfach zu sein?

Das Pfeifen hat ausgesetzt

VERFASSER Jetzt – könnte ich mir denken – jetzt dachten Sie an die dumme Geschichte mit Knechtling.

BIEDERMANN Vielleicht…

VERFASSER Aber Sie waren doch im Recht!

BIEDERMANN Schon…

VERFASSER Sonst hätte der andere nicht einfach die Waffen gestreckt.

BIEDERMANN Gewiß…

VERFASSER Jedenfalls hätten Sie den Prozeß gewonnen.

BIEDERMANN Wahrscheinlich…

VERFASSER Sicher, Herr Biedermann, sicher!

BIEDERMANN Wissen kann man es nie…

VERFASSER Aber ja, Herr Biedermann! Ich beispielsweise würde mich hüten, gegen einen Haarwasser-Kaufmann zu klagen, der so vermögend ist wie Sie – aber reden wir nicht mehr von Knechtling…

Biedermann nimmt Flaschen heraus, pfeift weiter

VERFASSER Sie hatten jetzt einfach das Bedürfnis, edel zu sein, hilfreich und gut: beispielsweise mit einem Moulin à vent. Zur Gans, denke ich, war ein Moulin ganz richtig. Ein Pommard wäre schon fast wieder zu edel gewesen. –

Das Pfeifen setzt abermals aus

VERFASSER Warum dachten Sie jetzt wieder an die Zündschnur?

BIEDERMANN Immerhin! Ich bitte Sie –

VERFASSER Man soll an das Gute in den Menschen glauben, Herr Biedermann, nicht an das Gemeine. Nur so ist es möglich, daß wir auch an das Gute in uns selber glauben.

Stimme von oben

FRAU B. Gottlieb?

BIEDERMANN Ja!

FRAU B. Die Herren sind da!

Biedermann nimmt weitere Flaschen

VERFASSER Sehen Sie, Herr Biedermann, sehen Sie: jetzt nehmen Sie doch einen Pommard. Grands vin de la Bourgogne. Appelation controllée. Sehen Sie: jetzt glauben Sie wieder an das Gute in sich selbst!

Biedermann schließt den Verschlag, entfernt sich pfeifend durch den Keller, so daß der Verfasser (und mit ihm der Hörer) gleichsam im Keller zurückbleiben

Ansage 10

VERFASSER Gleichsam unter vier Augen, lieber Hörer, möchte ich doch die Frage wenigstens streifen, die Sie sich vermutlich schon gestellt haben oder stellen werden, wenn dieses Spiel zu Ende ist: ob ich, der Verfasser, denn meine, die Katastrophe würde nicht zustande kommen, wenn Herr Biedermann sich anders verhalten hätte beispielsweise gegenüber dem alten Knechtling... Nun, ich brauche keinen Hehl daraus zu machen, daß ich dieses Verhalten allerdings als ein Unrecht betrachte, wenn auch ein sehr durchschnittliches Unrecht, ein sehr alltägliches Unrecht – aber die eigentliche Frage geht ja weiter: ob ich, der Verfasser, denn meine, eine solche Lappalie sei der Grund für die Katastrophe. Feuersbrunst und so, ich weiß, der Gedanke an Sodom und Gomorrha liegt scheinbar sehr nahe. Aber nur scheinbar. Hier, glaube ich; handelt es sich nicht um die Darstellung einer himmlischen Strafe, sondern lediglich um die Darstellung eines durchschnittlichen Bürgers, der ein etwas schlechtes Gewissen hat (meines Erachtens, wie gesagt, zu Recht) und der ein gutes haben möchte: ohne irgend etwas zu verändern. Das geht natürlich nur, indem er sich selbst belügt, und darin besteht seine Gefährlichkeit. Ohne sein schlechtes Gewissen, denke ich, hätte auch unser Herr Biedermann vieles gemerkt, was nur ein Mensch, der eine Heidenangst hat, nicht merken kann – Das ist alles, was ich in dieser kleinen Geschichte zu sehen vermag.

Man hört ein schallendes Gelächter, das anhält

Gehen wir hinauf! Unsere Figuren, scheint es, sind schon ganz munter von Gans und Pommard.

Szene 10

Das Gelächter aus der Nähe. Es sind jedoch nur die Männer, die lachen, und allen voran Biedermann selbst, der sich von dem Witz, der gefallen zu sein scheint, nicht erholen kann, so daß das Gelächter immer nochmals aufschwillt. Der Wein ist ihnen in den Kopf gestiegen, aber sie sind nicht eigentlich betrunken. Eisenring im besonderen ist vollkommen klar.

BIEDERMANN Putzfäden! Hast du das wieder gehört? Putzfäden brennen noch viel besser!

FRAU B. Verstehe ich nicht.

BIEDERMANN Putzfäden – weißt du nicht, was Putzfäden sind?

FRAU B. Und?

BIEDERMANN Du hast keinen Humor, Babette, du solltest wirklich den Guareschi kaufen.

FRAU B. So erkläre es mir doch.

BIEDERMANN Heute morgen sagt der Willi, er hätte den Sepp geschickt, um Holzwolle zu stehlen, und jetzt frage ich den Sepp: Was macht die Holzwolle? worauf er sagt: Holzwolle hätte er nicht auftreiben können, aber Putzfäden. Und Willi sagt: Putzfäden brennen noch viel besser!

FRAU B. Ja, und?

EISENRING Ehrenwort.

BIEDERMANN Du wirst lachen, Babette! Heute morgen haben wir sogar zusammen die Zündschnur gemessen, der Willi und ich.

BIEDERMANN Sieben Meter, nicht wahr?

FRAU B. Zündschnur? Wozu?

BIEDERMANN Mein liebes Weib!...

FRAU B. Im Ernst, ich verstehe nicht ein Wort.

BIEDERMANN Im Ernst! sagt sie. Im Ernst! Sie hören es?

FRAU B. Was soll das alles heißen?

BIEDERMANN Laß dich nicht foppen, Babette. Ich habe dir ja gesagt, unsere Freunde haben eine Art zu scherzen – es fehlt uns nur noch, daß sie mich um Streichhölzer bitten! Nämlich die Herren halten mich noch immer für einen ängstlichen Spießer, den man ins Bockshorn jagen kann – Prost! *Sie stoßen an*

EISENRING Prost!

SCHMITZ Prost!

BIEDERMANN Auf unsere Freundschaft!

Sie trinken und stellen die Gläser ab

BIEDERMANN Bei uns wird nicht serviert, meine Herren, greifen Sie doch einfach zu!

SCHMITZ Ich kann nicht mehr.

BIEDERMANN Was denn!

EISENRING Ihre Gans, Madame, schmeckt wunderbar.

FRAU B. Freut mich meine Herren.

EISENRING Gans und Pommard! – dazu gehört eigentlich bloß noch ein Tischtuch.

FRAU B. Siehst du.

EISENRING So ein weißes Tischtuch wissen Sie, mit dem Gefunkel von Silber –

BIEDERMANN Anna!

EISENRING Es muß nicht sein, Herr Biedermann, es muß nicht sein. *Anna tritt ein*

BIEDERMANN Anna, geben Sie das Tischtuch!

EISENRING Aber lassen Sie doch.

FRAU B. Wir haben ja –

EISENRING Daran zweifle ich nicht Madame, aber machen Sie doch keine Umstände, um unsertwillen jetzt wieder alles abzuräumen!

FRAU B. Siehst du.

EISENRING Haben Sie auch Fingerschalen?

BIEDERMANN Selbstverständlich!

EISENRING Sie finden es vielleicht kindisch, Madame, aber so sind halt die einfachen Leute – der Sepp zum Beispiel, es ist nun einmal der Traum seines Lebens, wissen Sie, so eine Tafel mit Silber und Kristall, mit Fingerschalen und Messerbänken und so.

FRAU B. Gottlieb, das haben wir doch alles.

BIEDERMANN Jaja, natürlich.

EISENRING Aber es muß nicht sein!

ANNA Bitte sehr.

EISENRING Und wenn Sie dort schon Servietten haben, Fräulein, her damit!

ANNA Herr Biedermann hat drum gesagt –

BIEDERMANN Her damit!

ANNA Bitte sehr.

EISENRING Gans habe ich schon genug gegessen, wissen Sie, aber wie? Als ich noch Kellner war, wissen Sie, wenn man so durch die Korridore flitzt, die silberne Platte auf der flachen Hand; aber daß man die andere Hand nirgends abputzen kann, sehen Sie, als an den eigenen Haaren: während andere Menschen eine kristallene Wasserschale haben für ihre Pfoten – Danke, Fräulein, danke sehr!

ANNA Und die Messerbänke auch?

BIEDERMANN Her damit!

EISENRING Sie nehmen es mir nicht übel, Madame, wenn man so aus dem Gefängnis kommt, Monate ohne jede Kultur –

BIEDERMANN Her damit! sage ich.

ANNA Aber –

BIEDERMANN Wissen Sie nicht was Messerbänke sind?

ANNA Weg damit, sagten Sie!

EISENRING Nur keine Aufregung, Fräulein, das ist der Föhn, nur keine Aufregung! – und du, Schmitz, schmatze nicht. Hörst du? Das Messerbänklein hast du überhaupt nicht in die Hände zu nehmen, du, mit deiner Waisenhauserziehung, du bist ja unmöglich... Was ist denn das andere dort unten, Fräulein, das Silberne, wenn ich fragen darf?

ANNA Die Kandelaber?

BIEDERMANN Her damit!

EISENRING Das will ich meinen – haben sie Kandelaber, siehst du, und brauchen sie nicht, Kandelaber mit roten Kerzen drauf, was will man mehr?

ANNA Bitte sehr.

EISENRING Leider, Herr Biedermann, habe ich keine Streichhölzer – tatsächlich!... Und du, Sepp, hast du auch keine Streichhölzer?

SCHMITZ Ich? Nein.

EISENRING Idiot!

BIEDERMANN Ich habe schon.

EISENRING Nicht einmal Streichhölzer –!

BIEDERMANN Ich zünde die Kerzen schon an. Lassen Sie nur. Ich mache es schon.

Biedermann zündet mit Streichhölzern die Kerzen an

SCHMITZ Ah!

EISENRING Das macht doch gleich einen ganz andern Eindruck, Madame, finden Sie nicht?

FRAU B. Allerdings.

EISENRING Ich bin einfach für Stil.

BIEDERMANN Aber vergessen Sie deswegen die Gans nicht, meine Herren, greifen Sie zu!

FRAU B. Preiselbeeren sind auch noch da.

EISENRING Vielleicht ist das Fräulein so freundlich –

BIEDERMANN Natürlich, Anna, nehmen Sie doch die Platte!

ANNA Servieren?

BIEDERMANN Was sonst?

EISENRING Ein weißes Häubchen brauchen Sie ja nicht anzuziehen, Fräulein, aber wenn Sie mir die Platte halten, sonst werfe ich noch das Glas um –

ANNA Bitte sehr.

BIEDERMANN Ich finde auch, es gibt gleich eine ganz andere Stimmung.

BIEDERMANN Ich wußte bloß nicht, meine Herren, ob es Ihnen auch genehm sein würde –

SCHMITZ Herr Biedermann meint, wir verachten den Reichtum, bloß weil wir ihn nicht haben!

BIEDERMANN Reichtum!

EISENRING Sagen wir: Kultur – Sie dürfen es dem Sepp nicht übelnehmen, Madame, daß er keine hat. Woher auch! Ein Köhlerjunge – Danke, Fräulein, danke sehr! – Hat Ihnen denn Sepp schon einmal seine Jugend erzählt?

BIEDERMANN Jaja, gewiß.

EISENRING Vom Waisenhaus in den Boxring.

BIEDERMANN Vom Boxring in den Zirkus.

EISENRING Vom Zirkus hierher – bitte.

FRAU B. Mein Mann sagte es.

EISENRING Schicksale, Madame, Schicksale!

Biedermann füllt die Gläser, es gurgelt hübsch

BIEDERMANN Sie können sich nicht vorstellen, meine Freunde, wie herzlich und aufrichtig es mich freut, Sie so gemütlich zu sehen. Im Ernst gesprochen –

EISENRING Schmitz!

SCHMITZ Ja?

EISENRING Hör zu, wenn der Gastgeber redet!

BIEDERMANN Im Ernst gesprochen, meine Freunde, ich gehöre nicht zu den Spießern, die ihre Nase rümpfen, wenn einer aus dem Gefängnis kommt, ganz und gar nicht, weil er vielleicht ein Fahrrad gestohlen hat und was weiß ich. Wir alle sind Menschen, meine Herren, wir alle sind Sünder –

EISENRING Mehr oder minder, Herr Biedermann.

BIEDERMANN Auch ich, sehen Sie –

SCHMITZ Sie sind eine Seele von Mensch, Herr Biedermann, sonst säßen wir nicht hier!

BIEDERMANN Und trotzdem, sehen Sie, auch ich habe schon Unrecht getan –

Schmitz und Eisenring lachen

BIEDERMANN Lachen Sie nicht.

SCHMITZ Sie wollen uns doch nicht weismachen, Herr Biedermann, daß Sie die Gans gestohlen haben?

BIEDERMANN Das gerade nicht –

Schmitz fängt zu singen an

SCHMITZ »Fuchs, du hast die Gans gestohlen, gib sie wieder her!«

EISENRING Laß das.

SCHMITZ »Sonst wird dich der Jäger holen –« Nämlich der Landjäger. »– mit dem Scheißgewehr.«

BIEDERMANN Scheißgewehr?

EISENRING Sie entschuldigen, Madame –

BIEDERMANN »Gib sie wieder her!«

ALLE »Sonst wird dich der Jäger holen mit dem Scheißgeweheher! Sonst wird dich der Jäger holen...«

Es entsteht ein ausgiebiger Wechselgesang mit viel Gelächter, mit gröhlender Gemeinsamkeit, die ihnen selbst großen Spaß macht, dann in der üblichen Form verebbt

BIEDERMANN Prost!

SCHMITZ Es lebe die Gans –

Sie trinken und stellen die Gläser hin

FRAU B. Sie sind wirklich im Gefängnis gewesen?

EISENRING Sorgen sie sich nicht, Madame, es war nicht das erste Mal, und die Polizei von Seldwyla – so etwas habe ich noch selten erlebt, so einen menschlichen Ton. Sie sind ein Brandstifter? fragt mich der Kommissär, und wie ich ihm sage: Herr Kommissär, beweisen Sie das! wird er ganz verlegen, wissen Sie, und bietet mir eine Zigarette an: Aber Sie entschuldigen! sagte ich: Streichhölzer habe ich leider nicht, Herr Kommissär, obschon Sie mich für einen Brandstifter halten! –

Sie lachen

BIEDERMANN Übrigens, meine Herren, vielleicht nehmen Sie eine Zigarre?

SCHMITZ Mit Vergnügen.

Man hört, wie übrigens schon während des letzten Lachens, eine ferne Sirene, jetzt aber deutlicher

FRAU B. Was ist das?

BIEDERMANN Eine Sirene –?

FRAU B. Die Brandstifter! Die Brandstifter!

BIEDERMANN Schrei doch nicht –

Frau Biedermann reißt das Fenster auf, die Sirenen kommen näher in rasender Fahrt

BIEDERMANN Wo fahren sie bloß hin?

Eine Weile lang übertönen die Sirenen alles, dazu das Gerassel der Wagen, die unten in der Straße vorübersausen

FRAU B. Wenigstens nicht bei uns!

BIEDERMANN Wo kann das nur sein?

EISENRING Ziemlich weit von hier.

BIEDERMANN Ich hoffe.

EISENRING Das machen wir meistens so. Wir beschäftigen die Feuerwehr in einem Außenviertel, und nachher, wenn es wirklich losgeht, ist ihnen der Rückweg versperrt.

BIEDERMANN Spaß beiseite!

SCHMITZ Jaja, so machen wir es.

BIEDERMANN Ich bitte Sie, meine Herren, Schluß mit diesem Unsinn! Sie sehen doch, meine Frau ist kreidebleich, und überhaupt, Herrgott im Himmel, Sirenen sind Sirenen, darüber kann ich nicht lachen, irgendwo brennt es, sonst würde unsere Feuerwehr nicht ausfahren –

EISENRING Sicher.

BIEDERMANN Was soll man bloß machen!

EISENRING Nichts.

SCHMITZ Nur die Ruhe, Herr Biedermann, nur die Ruhe –

BIEDERMANN Herrgott im Himmel!

EISENRING Rauchen wir unsere Zigarre.

Man hört die Sirenen nochmals in der Ferne

EISENRING Leider, wie gesagt, haben wir keine Streichhölzer, Herr Biedermann –

BIEDERMANN Irgendwo haben wir ein Feuerzeug.

SCHMITZ Wozu denn, Herr Biedermann, Sie haben doch Streichhölzer in der Tasche, ein ganzes Heftlein.

BIEDERMANN Leider nicht.

SCHMITZ Wir haben es gesehen, Herr Biedermann, als Sie die Kerzen anzündeten.

Biedermann schnappt ein Feuerzeug an

BIEDERMANN Bitte sehr.

EISENRING Hm.

BIEDERMANN Warum sehen Sie einander so an?

SCHMITZ Hm.

Biedermann schnappt sein Feuerzeug zu

BIEDERMANN Warum setzen wir uns eigentlich nicht?

EISENRING Weil wir gehen müssen, Herr Biedermann.

FRAU B. Jetzt schon?

SCHMITZ Leider –.

FRAU B. Anna macht gerade den schwarzen Kaffee.

EISENRING Wir haben noch zu arbeiten, Madame.

FRAU B. Um diese Stunde? Arbeiten? Was denn?

SCHMITZ Madame –.

BIEDERMANN Frage sie doch nicht, Babette! Sonst machen sie wieder so einen grauslichen Witz – ich weiß es schon auswendig, was sie dir sagen werden!

FRAU B. Nämlich!

BIEDERMANN Unser Haus anzünden!

FRAU B. Unser – Haus –

BIEDERMANN Sie ist es nicht gewöhnt, meine Freunde, Sie sollten meine arme Frau nicht so erschrecken, im Ernst.

EISENRING Was habe ich denn gesagt?

BIEDERMANN Nehmen wir einen Kirsch, meine Freunde, oder ein Zwetschgenwasser?

EISENRING Kein Wort habe ich gesagt…

BIEDERMANN Und du, Babette, schau doch einmal nach, warum unser Kaffee nicht kommt, sei doch so lieb!

FRAU B. Ja –.

Frau Biedermann geht hinaus

SCHMITZ Eine Zigarre ist das!…

EISENRING Legitimos.

SCHMITZ Klasse!

BIEDERMANN Ganz unter uns, meine Herren: genug ist genug. Im Ernst, scherzen wir nicht länger über Brandstifterei. Sie haben die Sirenen gehört. Spaß beiseite –.

EISENRING Spaß beiseite, Herr Biedermann: –

BIEDERMANN Setzen wir uns!

EISENRING – wir sind die Brandstifter.

BIEDERMANN Ganz im Ernst, meine Freunde –

EISENRING Ganz im Ernst.

SCHMITZ Warum glauben Sie uns nicht?

EISENRING Ihr Haus liegt sehr günstig, Herr Biedermann, das müssen Sie doch einsehen. Spaß beiseite. Fünf solche Brandstätten rings um die Gasometer, die leider bewacht sind, und dazu ein wackerer Föhn –

BIEDERMANN Zum allerletzten Mal, meine Freunde, ich bitte euch –!

SCHMITZ Verlieren Sie nicht die Ruhe, Herr Biedermann.

EISENRING Wenn Sie uns schon für Brandstifter halten, Herr Biedermann, warum nicht offen darüber reden?

BIEDERMANN Ich halte euch nicht für Brandstifter!

EISENRING Und ob.

BIEDERMANN Das ist nicht wahr!

EISENRING Hand aufs Herz, Herr Biedermann –

SCHMITZ Vorhin mit dem Feuerzeug –

EISENRING Sie wagen ja nicht einmal, Streichhölzer in unsere Hand zu geben, Herr Biedermann, und warum nicht?

SCHMITZ Hand aufs Herz, Herr Biedermann –

EISENRING Dabei hat er ein ganzes Heftlein in der Hosentasche.

SCHMITZ Ich habe es auch gesehen.

BIEDERMANN Und wenn ich es schwöre, meine Freunde? Ich hege nicht das mindeste Mißtrauen gegen euch, Ehrenwort, das mit dem Feuerzeug – ich schwöre es bei Gott!

SCHMITZ Er glaubt nicht an Gott, der Willi, so wenig wie Sie, Herr Biedermann, da können Sie lange schwören.

BIEDERMANN Was soll ich denn tun?

EISENRING Geben Sie uns ihre Streichhölzer.

BIEDERMANN Sie meinen –

EISENRING Als Zeichen des Vertrauens, ja, klar.

BIEDERMANN Meine Streichhölzer –

EISENRING Sie zögern, sehen Sie!

BIEDERMANN Still! – aber nicht vor meiner Frau...

Frau Biedermann ist eingetreten

FRAU B. Der Kaffee kommt sogleich.

EISENRING Sehr liebenswürdig, Madame, aber leider müssen wir wirklich gehen.

FRAU B. Ohne Kaffee?

SCHMITZ Leider, Frau Biedermann, leider.

BIEDERMANN Ja, meine Freunde – so schade es ist, aber – die Herren sagten es mir schon heute morgen, sie hätten nicht viel Zeit, weißt du... aber Hauptsache, meine Freunde, daß Sie trotzdem gekommen sind. Wir wollen diesen Abend nie vergessen. Ich meine es ganz im Ernst. Hoffentlich haben Sie empfunden, daß wir alle Menschen sind – ich möchte nicht aufdringlich sein, meine Freunde, aber warum sagen wir uns eigentlich nicht Du?

FRAU B. Hm.

BIEDERMANN Ich bin dafür, daß wir uns Du sagen!

EISENRING Machen Sie deswegen keine neue Flasche auf, Herr Biedermann –

BIEDERMANN Habe ich es nicht immer gesagt, Babette: meine Bekannten sollen reden, was sie wollen, ich heiße Gottlieb Biedermann, ich glaube an die Menschen. Nur das Vertrauen von Mensch zu Mensch – *Eine Flasche wird entkorkt* Nur das Vertrauen sage ich –. Warum lebt jeder so in seinen Kreisen, Herrgott im Himmel, man kennt sich einfach nicht, warum reden wir nicht miteinander? Jeder hält den andern für einen Brandstifter oder was weiß ich; statt daß wir uns die Hände reichen. Oder habe ich nicht recht? Ein bißchen Idealismus, meine Freunde, ein bißchen guten Willen und so – ich habe es schon zu Willi gesagt: arm oder reich, schließlich sind wir doch alle Menschen. Ob einer nun schmatzt oder nicht, Herrgott im Himmel, das ist doch kein Grund, schließlich sind wir Christen, meine ich, und überhaupt –

Er hat die Gläser gefüllt

Meine Freunde! Laßt uns anstoßen – auf das Vertrauen von Mensch zu Mensch; die Spießer sollen reden was sie wollen, ich betrachte euch als meine Freunde – und in diesem Sinne – ich brauche hier keine langen Worte zu machen: – sagen wir uns Du! *Sie stoßen an*

BIEDERMANN Gottlieb.

SCHMITZ Sepp.

EISENRING Willi. *Sie trinken*

EISENRING Siehst du, Gottlieb, trotzdem müssen wir jetzt gehen –

BIEDERMANN Ich will euch nicht nötigen.

SCHMITZ Die Gans, Frau Biedermann, war Klasse.

FRAU B. Freut mich, meine Herren, freut mich.

EISENRING Schönen Dank, Frau Biedermann.

BIEDERMANN Bloß noch eine Bitte, meine Freunde, nehmt eure Zigarren nicht in den Estrich.

SCHMITZ Ach ja –

BIEDERMANN Hier ist ein Aschenbecher.

EISENRING Gute Nacht, Madame.

FRAU B. Gute Nacht, meine Herren.

Sie gehen in den Flur

EISENRING Damit wir es nicht vergessen, Gottlieb –

BIEDERMANN Was denn?

EISENRING Die Streichhölzer, weißt du.

BIEDERMANN Ach ja – richtig... *Sie verschwinden*

FRAU B. Was ist denn los, Anna? Sie sind ja ganz bleich!

ANNA Dahinten – der Himmel – dahinten, Frau Biedermann, von der Küche aus können Sie es sehen!

FRAU B. Was?

ANNA Der Himmel ist schon ganz rot –

Biedermann kommt zurück, seinen Rosenkavalier pfeifend

FRAU B. Gottlieb?

BIEDERMANN Es war doch ganz nett.

FRAU B. Bist du wohl wahnsinnig?

BIEDERMANN Wieso?

FRAU B. Wozu gibst du ihnen die Streichhölzer?

BIEDERMANN Warum nicht?

FRAU B. Warum nicht!

BIEDERMANN Du meinst wohl, die hätten keine Streichhölzer, wenn es wirkliche Brandstifter wären?

Er lacht über sie gemütlich

Babettchen! Babettchen! *Plötzlich schlägt die Pendule: zehn Uhr*

Ansage 11

Aus der kurzen Stille, nachdem die Pendule geschlagen hat, kommen langsam die Geräusche, die in zunehmender Lautstärke die eintretende Katastrophe illustrieren, Stimmen der Panik, Sturmglocken, das prasselnde Feuer, Einsturz von Gebälken, Schreien, Hupen, Gebell von Hunden usw.

VERFASSER Liebe Hörerinnen und Hörer! Wir sind am Ende unserer Sendung »HERR BIEDERMANN UND DIE BRANDSTIFTER«, eine unwahrscheinliche Geschichte. Es haben gespielt:

Er muß warten, bis der Lärm etwas nachläßt

VERFASSER Herr Biedermann: Hermann Schomberg; Frau Biedermann: Magda Henning; Schmitz: Hanns-Ernst Jäger; Eisenring: Günther Lüders; Anna: Ingeborg Schlegel.

Man hört die erste Detonation

VERFASSER Das war der Gasometer.

Regie: Ludwig Cremer.

Man hört die zweite Detonation

VERFASSER Das war der zweite Gasometer.

Man hört die dritte Detonation

Rip van Winkle

Hörspiel

Personen: Der Fremdling · Der Staatsanwalt
Der Verteidiger · Julika · Knobel, *der Gefängniswärter*
Herr Sachtleben · Ein Herr · Ein Zöllner · Ein Kommissar
Eine Sekretärin · Ein Ober · Eine Telefonstimme
Ein Zeitungsverkäufer · Eine Dame · Ein Schaffner · Ausrufer
Ausruferin · Lautsprecherstimme · Schreibfräulein
Georges · Ein Gast · Bahnhofspublikum · Kaffeehausgäste
Stimme: *englisch*

»Das ist die Skizze von einem Menschen, der nie gelebt hat: weil er von sich selber forderte, so zu sein, wie die andern es von ihm forderten. Und eines Tages, als er aus diesem Spuk erwachte, siehe da, die Leute kannten seinen Namen, es war ein geschätzter Name, und die Leute konnten es nicht dulden, daß einer ohne Namen lebte. Sie steckten ihn in das Gefängnis, sie verurteilten ihn zu sein, was er gewesen ist, und duldeten nicht seine Verwandlung –.«

Erste Szene

In einem Bahnhof. Man hört Pfiffe in der Ferne, Gedampf einer wartenden Lokomotive, Ausrufe aller Art, Gewirr von Stimmen, dann vor allem: Ein Eisenbahner geht von Achse zu Achse, klopft mit seinem Hammer an jedes einzelne Rad, um es zu prüfen.

DIE DAME Was soll denn das?

DER HERR Der prüft, ob alle Räder in Ordnung sind, das machen sie doch immer. Wann bist du denn in Rom?

DIE DAME Gegen Mittag –

Ein Schaffner geht den Zug entlang und schmettert die Türen zu.

SCHAFFNER Einsteigen, bitte! Einsteigen, bitte!

DER HERR Also – leb wohl!

DIE DAME Lieber!

SCHAFFNER Einsteigen, bitte!

DIE DAME Aber auf Ostern kommst du bestimmt –

DER HERR Sobald ich es machen kann.

SCHAFFNER Einsteigen, bitte! Einsteigen, bitte!

Der Schaffner schmettert die Türe zu und geht weiter.

FREMDLING Spaß beiseite, mein Herr! Machen Sie jetzt keine Umstände, mein Zug fährt jeden Augenblick ab.

ZÖLLNER Aber ohne Sie.

FREMDLING Spaß beiseite.

ZÖLLNER Sie kommen mit mir!

AUSRUFERIN Heiße Würstchen! Heiße Würstchen!

AUSRUFER Illustrierte, Zigaretten, Illustrierte!

AUSRUFERIN Heiße Würstchen!

ZÖLLNER Vorwärts!

FREMDLING Was zum Teufel geht es Sie an, wie ich heiße? Natürlich habe ich einen Namen, aber was zum Teufel –

ZÖLLNER Ich tue nur meine Pflicht. Das wissen Sie ganz genau, jeder Reisende ist verpflichtet, sich auszuweisen.

FREMDLING Wieso?

ZÖLLNER Kommen Sie jetzt auf den Posten, mein Herr, aber vorwärts, wir werden schon herausfinden, wie Sie heißen.

FREMDLING Unterstehen Sie sich!

ZÖLLNER Es ist nicht mein Fehler, wenn Sie nicht weiterfahren können.

LAUTSPRECHER Achtung, Achtung!

SCHAFFNER Bitte, Türen schließen!

LAUTSPRECHER Expreß Kopenhagen-Rom, Abfahrt 23.17. Bitte, Türen schließen!

DIE DAME Leb wohl, Lieber! Leb wohl!

DER HERR Leb wohl!

DIE DAME Auf bald!

AUSRUFERIN Heiße Würstchen! Heiße Würstchen!

AUSRUFER Zigaretten, Illustrierte, Zigaretten!

AUSRUFERIN Heiße Würstchen!

FREMDLING Sie sollen mich nicht anrühren, sage ich. Ich vertrage das nicht. Verstanden! Oder ich gebe Ihnen eine Ohrfeige, daß Ihre schöne Mütze über den ganzen Bahnsteig rollt.

ZÖLLNER Unterstehen Sie sich!

FREMDLING Bitte –

Man hört eine klatschende Ohrfeige.

ZÖLLNER Mensch!

Jetzt pfeift der Zug, Rufe der Abschiednehmenden, dazu das

immer raschere Rollen der Räder, das heißt: Der Schlag auf
den Schienenstößen folgt in immer rascherem Rhythmus.

FREMDLING Hier, mein Herr, ist Ihre Mütze...
Pfiff der Lokomotive in der Ferne.

Zweite Szene

In einem Büro; man hört nur das Ticken einer Uhr.

KOMMISSAR Bitte, nehmen Sie Platz.

HERR Ich möchte mich nicht einmischen, Herr Kommissar.

KOMMISSAR Bitte, Herr Doktor. *Der Herr setzt sich.* Sie standen
also auf dem Bahnsteig und haben gesehen, wie diese Ohrfeige
vor sich ging. Sie haben Ihre Frau verabschiedet, sagen Sie, und
das war vor demselben Wagen?

HERR Ja.

KOMMISSAR Schlafwagen.

HERR Herr Wadel hat sich einfach geweigert, seinen Namen zu
sagen, und dann hat ihn der Beamte am Ärmel gefaßt, kurz
darauf hörte ich eine Ohrfeige und sah, wie die Mütze über
den Bahnsteig rollte. *Man hört eine Schreibmaschine.* Das
wird alles aufgeschrieben?

KOMMISSAR Warum nicht.

HERR Nur – es war nicht meine Frau, die Dame, die ich verabschiedet habe.

KOMMISSAR Das macht ja keinen Unterschied, Herr Doktor.

HERR Für meine Frau schon.

KOMMISSAR Wichtig ist die Ohrfeige, Fräulein, alles andere
brauchen Sie nicht zu schreiben.

HERR Anatol Wadel ist nun einmal ein Temperament, das weiß
man ja, so eine Künstlernatur!

KOMMISSAR Das heißt, Sie kennen diesen Herrn?

HERR Was heißt kennen. Anatol Wadel ist ja kein Unbekannter.

KOMMISSAR Sehr interessant.

HERR Vielleicht täusche ich mich, aber jedenfalls sieht er ihm
sehr ähnlich. Damals, vor ein paar Jahren, sah man ihn doch

in allen Zeitungen. Erinnern Sie sich nicht, Herr Kommissar, da war doch diese tolle Geschichte, wie er plötzlich verschwunden war. Kein Mensch hat je erfahren, wo er seither lebt. Wenn er überhaupt noch lebt. Eine tolle Geschichte.

KOMMISSAR Sehr interessant. Nämlich der Herr weigert sich, seinen Namen anzugeben, und Sie nennen ihn Anatol Wadel.

HERR Beschwören kann ich es natürlich nicht. *Es klopft.* Seine Gattin, glaube ich, lebt in Paris. Die Julika, wie man sie nennt.

KOMMISSAR In Paris?

HERR Sie ist Tänzerin. Eine zauberhafte Frau.

KOMMISSAR Julika?

HERR Ja.

KOMMISSAR Und die ist seine gesetzliche Gattin?

HERR Sicher.

KOMMISSAR Woher wissen Sie das alles?

HERR Aus der Illustrierten.

KOMMISSAR Ja, herein!

Die Tür geht auf.

KOMMISSAR Ich danke Ihnen, Herr Doktor. Wenn es weiterhin nötig sein sollte, wird die Kriminalpolizei sich gestatten, Sie anzurufen.

HERR Lieber nicht.

KOMMISSAR Für heute, wie gesagt, meinen besten Dank.

HERR Gute Nacht, meine Herren.

KOMMISSAR Gute Nacht, Herr Doktor.

Der Herr Doktor geht, die Türe wird geschlossen.

KOMMISSAR Sie sind also der Herr, der die Ohrfeige gegeben hat?

FREMDLING Jawohl.

KOMMISSAR Bitte, nehmen Sie Platz.

FREMDLING Was will man von mir?

KOMMISSAR Nehmen Sie Platz. Wie ich sehe, Herr Wadel, sind Sie in einem ziemlich betrunkenen Zustand.

FREMDLING Ich heiße nicht Wadel!

KOMMISSAR Ich hoffe, Sie verstehen trotzdem, was ich Ihnen sage.

FREMDLING Herr Kommissar, ich lasse mich nicht am Ärmel packen. Ich kann das nicht leiden, ganz abgesehen von der Physiognomie, die sie haben, diese gesetzlich geschützten Flegel, ich kann das nicht leiden, ich bedaure. Im übrigen bin ich natürlich bereit, die übliche Buße für meine Ohrfeige sofort zu zahlen.

KOMMISSAR So einfach ist es leider nicht.

FREMDLING Was ist der Tarif? –

KOMMISSAR Bitte –

FREMDLING Ich habe keine Zeit, Herr Kommissar, mich zu setzen. Danke sehr. Ich möchte den ersten besten Zug besteigen, um dieses unerträgliche Land zu verlassen, gleichviel in welcher Richtung; es muß nicht Rom sein, das war nur eine Laune von mir.

KOMMISSAR Sie werden diesen Raum nicht verlassen, Herr Wadel, bevor wir Ihre genauen Personalien besitzen.

FREMDLING Jedenfalls heiße ich nicht Wadel.

KOMMISSAR Wie denn?

Der Fremdling schweigt.

KOMMISSAR Ich muß Sie darauf aufmerksam machen, Herr Wadel –

FREMDLING Zum letzten Mal: Ich heiße nicht Wadel!

KOMMISSAR Ich muß Sie darauf aufmerksam machen, daß ich verpflichtet bin, unverzüglich die Kriminalpolizei anzurufen, wenn Sie sich weiterhin weigern, Ihren Namen zu nennen. Das heißt, Sie würden noch heute nacht in Untersuchungshaft kommen. Darüber müssen Sie sich klar sein. – Ich gebe Ihnen fünf Minuten, mein Herr...

Man hört das Ticken der Uhr.

Dritte Szene

Studio einer Ballettschule. Man hört Musik von einem Flügel, dazu Anweisungen einer Tanzlehrerin in französischer Sprache. Es schadet nichts, wenn sie einen deutschen Akzent hat, der gehört zu ihr. Dazwischen Händeklatschen, das Geräusch der Ballettschuhe auf dem Parkett.

GEORGES Julika! Julika!

JULIKA Qu'est-ce qu'il y a?

GEORGES Telefon!

JULIKA Je travaille.

Sie gibt weitere Tanzanweisungen, Georges tritt nahe zu ihr.

GEORGES Es ist dringend.

JULIKA Wieso?

GEORGES Ausland.

JULIKA Wer?

GEORGES Kriminalpolizei. Ich glaube, wegen deinem Mann –

JULIKA M'excusez, Messieurs, je reviendrai tout de suite. Continuez votre exercice, s'il vous plaît.

Der Pianist setzt nochmals mit den gleichen Takten ein. Julika geht in eine Telefonzelle, wo man das Geräusch der Ballettschuhe nur noch gedämpft hört.

JULIKA Hallo? – Julika. – Wie bitte? – Das bin ich selber, ja, Julika Wadel. – Wieso Kriminalpolizei? – Ich weiß überhaupt nichts. – Mein Mann? Ich, nein, keine Ahnung. – Verstehe. – Selbstverständlich. – Verstehe. – Sobald ich kann, selbstverständlich, aber ich kann ja nicht einfach weglaufen, Herr Kommissar, schließlich habe ich hier meine Ballettschule. – Seit fünf Jahren, das stimmt. Im Februar waren es genau fünf Jahre, seit er verschwunden ist. – Sobald ich kann, Herr Kommissar, selbstverständlich werde ich meinen Mann erkennen. – Ich danke für Ihre Nachricht. – Bitte sehr. *Julika hängt den Hörer ein, sie atmet hörbar, dann geht sie aus der Kabine, so daß wir die Musik wieder lauter hören.*

GEORGES Was ist los?

JULIKA Mein Mann –

GEORGES Du bist ja kreideweiß, Julika.

JULIKA Sie sagen, mein Mann ist wiederaufgetaucht.

GEORGES Und?

JULIKA Sie haben ihn an der Grenze verhaftet, sagen sie. Ich will sofort hinfahren.

GEORGES Wozu?

JULIKA Ich habe es ja gedacht – eines schönen Morgens. Plötzlich steht er wieder da.

GEORGES Was geht es dich an? Fünf Jahre hat er sich nicht um dich gekümmert. Julika, ich denke, du bist fertig mit ihm.

JULIKA Sicher.

GEORGES Ein Mann, der dir das halbe Leben verpfuscht hat, das sagst du ja selbst, und jetzt –

JULIKA Ach Georges!

GEORGES Wirst du denn hinfahren?

JULIKA Wir werden sehen.

Die Musik ist unterdessen verstummt. Julika klatscht in die Hände.

JULIKA Messieurs, nous continuons!

Musik wie zu Anfang.

Vierte Szene

In der Zelle eines Untersuchungsgefängnisses.

VERTEIDIGER Wenn Sie gestatten, daß ich mich vorstelle: Mein Name ist Dünner, Hans Ulrich Dünner. Ich habe die Ehre, Herr Wadel, Ihr amtlicher Verteidiger zu sein.

FREMDLING Ich heiße nicht Wadel.

VERTEIDIGER Sie können versichert sein, ich werde mein Bestes tun, und wir haben keinen Grund, den Kopf hängenzulassen. Ich habe die Akten studiert, und wenn Sie die Güte haben, mich wenigstens in großen Zügen zu unterrichten, wo Sie die letzten fünf Jahre verbracht haben, bin ich vollkommen sicher, daß Sie schon in wenigen Tagen wieder auf freiem Fuße sind.

FREMDLING Hm.

VERTEIDIGER Sie gestatten, daß ich mich setze.

Der Verteidiger setzt sich auf die Pritsche.

VERTEIDIGER Ich weiß, diese Pritschen sind etwas hart. Aber sauber. Übrigens habe ich mich sofort bemüht, Ihre hoffentlich kurzen Tage in der Untersuchungshaft so angenehm als möglich zu gestalten. Sie haben die beste Zelle des Hauses, die einzige mit Morgensonne und Blick auf die alten Platanen, Sie hören hier fast keinen Straßenlärm, nur das Gurren der Tauben.

FREMDLING Und das Geläute eures Münsters!

VERTEIDIGER Gefällt es Ihnen nicht?

FREMDLING Es ist zum Irrsinnigwerden, Herr Doktor.

VERTEIDIGER Es gilt als das schönste Geläute in unserem ganzen Land.

FREMDLING Was geht mich euer Land an!

VERTEIDIGER Auch wenn es so aus der Nähe, mag sein, etwas dröhnend ist. Ich bedaure, daß unser Untersuchungsgefängnis gerade gegenüber dem Münster steht; es ist ein Umstand, den wir leider nicht ändern können. – Um bei unserer Sache zu bleiben, Herr Wadel, gestatten Sie mir also die Frage:

FREMDLING Ich heiße nicht Wadel, Herrgott im Himmel, wie oft muß ich es noch sagen?

VERTEIDIGER Wo sind Sie in den letzten fünf Jahren gewesen?

FREMDLING Ich habe dem Wärter gesagt: bevor ich nicht meinen Whisky bekomme, werde ich niemand empfangen. Was ist das für eine Art? Gestern abend habe ich Sie hinausgeworfen, heute überlistet man mich, indem Sie meine Zelle betreten, während ich schlafe. Ich muß schon sagen –

VERTEIDIGER Es ist zehn Uhr vorbei!

FREMDLING Haben Sie Whisky, Herr Doktor, oder haben Sie keinen Whisky?

Der Verteidiger legt ein Dossier auf den Tisch.

FREMDLING Ein ganzes Dossier? Wegen einer einzigen Ohrfeige? Seit drei Tagen bin ich in eurem Land, Sie wollen mir doch nicht weismachen, daß dieses ganze Dossier –

VERTEIDIGER Es sind Kleinigkeiten. Erschrecken Sie nicht. Lauter Kleinigkeiten: Landesflucht ohne behördliche Abmeldung, Nichterfüllung der Steuerpflicht, Gefährdung des Verkehrs durch jahrelanges Überwuchernlassen einer Hecke, die bis heute trotz sechsfacher Mahnung nicht geschnitten worden ist, Nichterfüllung der Luftschutzpflicht, Vernachlässigung aller behördlichen Anfragen, Nichterfüllung der Altersversicherung – und so weiter, Herr Wadel, und so weiter!

FREMDLING *brüllt.* Zum letzten Mal: Ich heiße nicht Wadel!!! *Kleine Stille.* Was soll das alles? Ich komme aus Mexiko, Herr Doktor, ich muß schon sagen: Die aztekischen Menschenopfer, denen man das warme Herz aus dem Leibe schnitt, sind ein Kinderspiel, verglichen mit der Behandlung, die hierzulande ein lebendiger Mensch erfährt, der keine Papiere hat oder keine Lust, sie zu zeigen. Was geht es euch an, wer ich bin? Es ist euch ein Bürger abhanden gekommen, ein gewisser Herr Wadel. Was kann ich dafür? – Und jetzt meint ihr, ich lasse mir einreden, daß ich dieser Verschollene sei? Ich! Das ist es doch, was ihr wollt! Ihr meint, Ihr könnt mich foltern, bis ich den Verstand verliere und selber daran glaube, dieser Ehrenmann zu sein.

VERTEIDIGER Wer redet denn von Folter?

FREMDLING Glauben Sie, Herr Doktor, Sie sind keine Folter, Sie mit Ihrem ahnungslosen Blick? Wie kommen Sie überhaupt dazu, auf meiner Pritsche zu hocken und in einem Dossier zu blättern, das mich hinten und vorne nichts angeht?... *Schreit.* Was wollen Sie eigentlich?

VERTEIDIGER Ich will Sie verteidigen –

Der Fremdling lacht.

VERTEIDIGER Man hat mir gesagt, Sie sind Herr Wadel, Anatol Wadel, der Bildhauer, der seit fünf Jahren verschollen ist, und ich habe das Amt übernommen –

FREMDLING Anatol Wadel zu verteidigen!

VERTEIDIGER Ja.

FREMDLING Aber wenn ich Ihnen sage: Ich bin es nicht.

VERTEIDIGER Wieso nicht?

FREMDLING Weil ich es nicht bin. –

VERTEIDIGER Anatol Wadel ist eine sehr geschätzte Persönlichkeit. Die Akademie hat mich bereits unterrichtet, daß sie beschlossen habe, nicht bloß die Buße für Ihre Ohrfeige, sondern auch anfallende andere Kosten zu übernehmen, und überhaupt – Ich verstehe Sie wirklich nicht: Wieso weigern Sie sich, Anatol Wadel zu sein?

FREMDLING Weil ich es nicht bin.

VERTEIDIGER Hm.

FREMDLING Es tut mir leid.

Der Verteidiger verstummt, vom Münster dröhnt ein Stundenschlag.

Fünfte Szene

Im Kaffeehaus. Man hört gedämpfte Unterhaltungsmusik, Klavierjazz, dazwischen das Gezisch einer Kaffeemaschine, Stimmen.

HERR Herr Ober!

OBER Augenblick, Herr Doktor, Augenblick.

HERR Leider muß ich gehen, meine Frau wartet auf mich.

DER ANDERE Wie geht es ihr eigentlich?

HERR Ach, so. Sie kränkelt wieder. Leider. Über Ostern wollte ich eigentlich nach Rom. Nicht zu machen! Ich hatte schon die Flugkarte, das Hotel – und so… Herr Ober, ich möchte zahlen!

OBER Bitte sehr.

HERR Ich bin eilig.

ZEITUNGSMANN Abendblatt. Sport vom Sonntag. Abendblatt… Herr Doktor: Die neue Atomwaffe, die Affäre Wadel!

HERR Also doch. Die Affäre Wadel! Habe ich nicht gesagt, ich habe ihn neulich auf dem Bahnsteig gesehen? Nun ist er es wirklich, scheint es.

Der Zeitungsmann geht weiter.

ZEITUNGSMANN Abendblatt. Sport vom Sonntag. Abendblatt…

Die Kaffeemaschine zischt.

DER ANDERE Hast du Wadel denn gekannt?

HERR Gekannt – nun ja, er saß doch jeden Abend dort in der Nische. Erinnerst du dich nicht? Dieser Sonderling, der immer

seinen Whisky trank, die bösen Zungen haben gesagt, er
fürchte sich, nach Hause zu gehen.

DER ANDERE Wegen seiner Frau?

HERR Dabei hatte er die zauberhafteste Frau, die du dir denken
kannst, zart wie eine Libelle. Mich geht's ja nichts an. Damals
war sie zum Sterben krank, hieß es, und alles wegen diesem
Wadel –

OBER Herr Doktor?

HERR Ich möchte zahlen.

OBER Danke sehr, Herr Doktor.

HERR Es ist gut.

OBER Danke sehr!

HERR Lungenkrank war sie, glaube ich.

DER ANDERE Und alles wegen ihm?

HERR Kaum war er verschwunden, ging es ihr besser, man traute
seinen Augen kaum, von Lungenleiden keine Spur, sie war
jünger als je, die Gesundheit in Person –

DER ANDERE – kaum war er verschwunden.

HERR Sie blühte wie noch nie.

Die Kaffeemaschine zischt.

DER ANDERE Warum gehst du übrigens nicht nach Rom?

HERR Ich kann meine Frau nicht verlassen, jetzt wo sie krank ist.
Das ist es ja. Sie würde – ich weiß nicht, was sie tun würde,
wenn ich sie jetzt verließe!

DER ANDERE Wer weiß: – blühen wie noch nie.

Die Kaffeemaschine zischt.

Sechste Szene

In der Zelle. Es klopft draußen an der Türe. Keine Antwort.
Es klopft wieder.

FREMDLING Herein!

Die Türe geht auf.

FREMDLING Wer sind Sie?

Die Türe wird zugemacht.

STAATSANWALT Wenn Sie gestatten, daß ich mich vorstelle: Ich bin der Staatsanwalt. Bleiben Sie ruhig sitzen.

FREMDLING Die Pritsche ist breit genug, Herr Staatsanwalt, nehmen Sie Platz.

STAATSANWALT Sie rauchen?

FREMDLING Danke, Herr Staatsanwalt, danke.

Der Staatsanwalt gibt Feuer.

STAATSANWALT Ich komme übrigens ganz persönlich. Betrachten Sie es keinesfalls als ein Verhör, es drängte mich einfach, Sie zu sehen, falls Sie wirklich unser verehrter Anatol Wadel sind.

FREMDLING Ich bin es nicht.

STAATSANWALT Nämlich meine Frau, müssen Sie wissen, ist eine Verehrerin Ihrer Kunst, sie ist außer sich bei dem Gedanken, daß ein Künstler wie Anatol Wadel, ein geistiger Mensch, ein schöpferischer Mensch, dem unsere Stadt so beglückende Skulpturen verdankt, auf dieser Pritsche sitzen soll wie ein gemeiner Verbrecher.

FREMDLING Ich bin ein gemeiner Verbrecher.

STAATSANWALT Sie behaupten es, ich weiß. Der Wärter erzählte mir, daß Sie mindestens fünf Morde verübt haben wollen.

FREMDLING Warum glaubt man mir nicht?

STAATSANWALT Darunter, wenn ich richtig verstanden habe, befindet sich auch Ihre geschätzte Gattin.

FREMDLING Sie war mein erster Mord.

STAATSANWALT Hm.

FREMDLING Eine wunderbare Zigarre, Herr Staatsanwalt...

STAATSANWALT Betrachten Sie es, wie gesagt, nicht als ein Verhör, wenn ich mir die Frage erlaube: Warum haben Sie Ihre Gattin ermordet?

FREMDLING Ich liebte sie.

STAATSANWALT Ist das ein Grund?

FREMDLING Übrigens war sie hinreißend schön –

STAATSANWALT Das heißt, Sie waren eifersüchtig?

FREMDLING Ich hatte keinen Grund, Herr Staatsanwalt, eifersüchtig zu sein. Vielleicht war sie mit anderen Herren etwas glücklicher, das weiß ich nicht, aber jedenfalls gab es keinen Mann auf dieser Welt, an dem sie tiefer hätte leiden können als an mir. Das weiß ich.

STAATSANWALT Sie liebten sie?

FREMDLING Was heißt lieben? Sie opferte sich auf, wissen Sie, sie war eine Dulderin. Das fanden alle unsere Bekannten. Ich nämlich war es, der sie krank gemacht hatte, krank bis auf den Tod.

STAATSANWALT Wieso?

FREMDLING Ich weiß nicht. Lungenkrank. Sie sagte es. Das heißt, sie sagte es eigentlich nie, aber jedermann wußte es. Es war ein Opfer, an meiner Seite zu leben, und trotzdem hat sie immer und immer wieder verziehen.

STAATSANWALT Was hat sie verziehen?

FREMDLING Mich –.

STAATSANWALT Haben Sie oft gestritten?

FREMDLING Nie.

STAATSANWALT Das ist ja entsetzlich.

FREMDLING Sie sagen es, Herr Staatsanwalt. Es war entsetzlich, was wir für einen Frieden hatten. Wenn ich es nicht mehr aushielt und einen Teller an die Wand schmetterte, kam ich mir tagelang wie ein Mörder vor – ihr Mörder.

STAATSANWALT Hm.

FREMDLING Das hält man nicht aus.

STAATSANWALT Und darum gingen Sie, wie der Wärter mir erzählte, in die Fremdenlegion?

FREMDLING Ich bin ein Feigling. Ja.

STAATSANWALT Das verstehe ich nicht, offen gestanden –

FREMDLING Ich auch nicht, Herr Staatsanwalt, aber es war so.

STAATSANWALT Sie liebten sie –

FREMDLING Sie war ein Engel.

STAATSANWALT Und?

FREMDLING Ich hielt es nicht aus, immer ein schlechtes Gewissen zu haben.

STAATSANWALT Und darum haben Sie sie ermordet?

FREMDLING Ich sagte es ja: Es war furchtbar für sie, an meiner Seite zu leben –.

STAATSANWALT Und wann ist dieser Mord geschehen?

FREMDLING Ha.

STAATSANWALT Warum lachen Sie?

FREMDLING Ich muß schon sagen, Herr Staatsanwalt, Sie machen es sich ja sehr einfach. Für eine einzige Zigarre, meinen Sie, erspare ich Ihnen die ganze Arbeit, wofür Sie bezahlt sind, und überhaupt verstehe ich dieses ganze Vorgehen nicht: Sie verlangen von mir, daß ich meine Verbrechen selbst beweise, ansonst ich verurteilt werde, ein Ehrenmann zu sein und Anatol Wadel zu heißen, dem eure Stadt, wie ich höre, so beglükkende Skulpturen verdankt. Herr Staatsanwalt, ich muß schon sagen –!

STAATSANWALT Sagen Sie es.

FREMDLING Es ist die Sache eines Staatsanwaltes, zu beweisen, daß ich ein Mörder bin, nicht meine Sache – wenigstens in einem Rechtsstaat, dachte ich.

STAATSANWALT Mißverstehen Sie mich nicht.

FREMDLING Ich bin nicht Anatol Wadel. Wie oft muß ich es noch sagen? Und auch von Ihrer geschätzten Gattin, Herr Staatsanwalt, lasse ich es mir nicht einreden, niemand verdankt mir beglückende Skulpturen!

STAATSANWALT Mein Herr –

FREMDLING Niemand!

STAATSANWALT Erregen Sie sich nicht.

FREMDLING Muß ich denn meinen Verteidiger erwürgen, bloß damit man mir endlich glaubt, daß ich nicht euer verschollener Ehrenmann bin?

STAATSANWALT Sie mißverstehen uns. Niemand will Sie zwingen, ein Mann zu sein, der Sie nicht sind, und sobald Sie uns sagen, wer Sie wirklich sind –

FREMDLING Wer ich wirklich bin!

STAATSANWALT Warum schütteln Sie den Kopf?

FREMDLING Seit einer Woche, seit meiner Einlieferung in dieses Gefängnis, wo man mich wie einen Ehrenmann behandelt, wiederhole ich es Tag für Tag, daß ich ohne Whisky jede weitere Auskunft verweigere, denn ohne Whisky bin ich nicht ich selbst, ich weiß es, ohne Whisky bin ich verloren, denn wenn ich nüchtern bin, erliege ich nur allzu leicht allen sittlichen Einflüssen und spiele eine Rolle, die nichts mit mir zu tun hat, überhaupt nichts, ich habe es erfahren. Warum bringt man mir keinen Whisky? Ich habe bereits den immerhin entgegenkommenden Vorschlag gemacht, die Kosten für meinen amtlichen Verteidiger zu sparen, dafür aber Whisky in meine Zelle zu liefern, denn es hat keinen Sinn, daß ich ohne Whisky vor die Schranken trete – es hat keinen Sinn, Herr Staatsanwalt, Sie können es niemals erkennen, wer ich wirklich bin, ich selber kann es nicht: – solange ich nicht meinen Whisky habe.

STAATSANWALT Hm.

FREMDLING Das ist alles, Herr Staatsanwalt, was ich in diesem nüchternen Zustande zu sagen habe.

Vom Münster dröhnt ein Stundenschlag.

Siebente Szene

Auf einem Flugplatz. Lärm von laufenden Motoren, die bald lauter, bald leiser in die Wartehalle tönen, dazu Lautsprecher.

LAUTSPRECHER Attention please, may I have your attention please. Flight number 209, London–Paris–Munich, ready for departure.

JULIKA Das ist meiner!

LAUTSPRECHER All passengers are requested to board the plane as soon as possible.

JULIKA Ich muß gehen!

LAUTSPRECHER Attention s'il vous plaît...

Lärm von Motoren übertönt den Lautsprecher.

JULIKA Also, mein Lieber, leb wohl!

GEORGES Wie du willst.

JULIKA Ich muß! Das wirst du verstehen!

GEORGES Nein.

JULIKA Georges –

GEORGES All die Jahre hast du mir erzählt, wie er dich krank gemacht hat, dein Anatol, und kaum taucht er wieder auf –

JULIKA Ich komme ja zurück, Georges.

GEORGES Wir werden ja sehen, meine Liebe – du mußt einsteigen, glaube ich.

JULIKA Vielleicht ist er es gar nicht!

GEORGES Du brauchst nicht zu weinen, Julika. Im Grunde
wünschest du ja nur einen Mann, dem du einreden kannst, er
mache dich krank. Ist es nicht so? Du bist nur glücklich, wo
du dir selber leid tun kannst.

JULIKA Georges –

GEORGES Du bist die geborene Dulderin.

LAUTSPRECHER Attention please. British European Airways an-
nounce the departure of flight number 209. This is our last call:
passenger Mrs. Julika Wadel, Mrs. Julika Wadel, please come
to the information desk immediately.

GEORGES Leb wohl!

JULIKA Leb wohl!

Lärm von Anpuff übertönt alles.

Achte Szene

*In der Zelle. Man hört, wie der Wärter aufputzt, Geräusch von
Putzlumpen und Wassereimer.*

KNOBEL Bin gleich fertig. Nur noch das Gitter.

FREMDLING Sie stören mich gar nicht. Putzen Sie ruhig. Sie sind
der einzige Mensch, Knobel, den ich in meiner Zelle vertrage,
Sie glauben mir.

KNOBEL Wenn Sie es schon selber sagen, Sie haben Ihre Gattin
ermordet, wissen Sie, Herr van Winkle –

FREMDLING Aber sagen Sie niemand, daß ich Rip van Winkle
heiße!

74

KNOBEL Wissen Sie, es gibt genug andere in diesem Haus. Wenn ich den Fraß bringe oder die Zellen putze, alle bestreiten sie es, daß sie etwas getan haben. Kann es mir nicht mehr anhören! Jeder ist unschuldig. Seit dreizehn Jahren bin ich Wärter: Sie sind der erste, Herr van Winkle, der die Güte hat, seine Morde zu erzählen, und zwar genau, so daß man sich auch als Laie etwas vorstellen kann. Der erste: Früher war ich Gemüsehändler, ich habe mir das ganz anders vorgestellt, als ich damals diese Stelle nahm. Da wirst du etwas erfahren! dachte ich. Aber keine Spur! Da ist man Wärter in einem Staatsgefängnis, und wenn ich Verbrecher anhören will, muß ich ins Kino gehen wie alle andern. *Er nimmt den Eimer.* So.

FREMDLING Wann kommen Sie wieder?

KNOBEL Sobald ich Zeit habe, Herr van Winkle.

FREMDLING Mein zweiter Mord damals im Dschungel, das war ganz anders, da wußte ich schon, daß ich ein Mörder bin, da brauchte ich keine Stimmung dazu, verstehen Sie, das war eine beschlossene Sache.

KNOBEL Sie sind im Dschungel gewesen?

FREMDLING In Jamaika, klar. Ich wußte doch, daß der Ferstel sich in Jamaika herumtreibt, und es war nur eine Frage der Geduld, daß er mir unter den Dolch kommt.

KNOBEL Wer ist Ferstel?

FREMDLING Der Haarölgangster.

KNOBEL Davon haben Sie noch nie erzählt.

FREMDLING So ein Millionär, wissen Sie, einer von jener Art, der man in einem Rechtsstaat nicht beikommt –
Das Münster schlägt elf Uhr.

FREMDLING Davon ein andermal, mein lieber Knobel, bei diesem Geläute kann man ja nicht reden!

KNOBEL In Jamaika? sagen Sie.

FREMDLING Wenn dieses Münster keine Folter ist!

KNOBEL Und den haben Sie mit einem Dolch –

FREMDLING Klar.

KNOBEL Tonnerwetter!

FREMDLING Mit einem indianischen Dolch...

KNOBEL Tonnerwetter!

Das Elfuhrgeläute setzt ein, kaum ist der Stundenschlag been-
det, es dröhnt wie eben ein Münster aus nächster Nähe.

Neunte Szene

Akustik eines Korridors. Das Geläute verebbt und verstummt.

VERTEIDIGER Wir wollen es versuchen, Madame. Wir werden
hören, ob er sich beruhigt hat.

JULIKA Ich muß ihn sehen!

VERTEIDIGER Wie gesagt, das Geläute bringt ihn jedesmal zur
Raserei –

JULIKA Er wird mich erkennen!

VERTEIDIGER Ich gehe voraus, Madame.

JULIKA Bitte sehr!

VERTEIDIGER Wenn wir vor der Zelle sind, sprechen Sie kein
Wort.

Sie gehen durch einen langen Korridor, man hört den Hall ih-
rer Schritte (der Hörer geht mit ihnen), und endlich die Stille,
wie sie stehenbleiben.

JULIKA Hier?

VERTEIDIGER Scht.

Plötzliches Gepolter in der Zelle.

FREMDLING Wer da?!

JULIKA Um Gottes willen –

FREMDLING Wer da?!

VERTEIDIGER Scht!

FREMDLING Whisky! Whisky! Whisky!

JULIKA Was ruft er?

FREMDLING Ich will Whisky!

VERTEIDIGER Gehen wir –

In der Zelle neues Gepolter.

JULIKA Entsetzlich.

VERTEIDIGER Kommen Sie.

FREMDLING Ich will Whisky! Ich will Whisky –

Sie entfernen sich von der Zelle, aber die Rufe halten an: Ich will Whisky, ich will Whisky! Wobei wir sie, indem wir uns durch den winkligen Korridor entfernen, nach und nach verlieren. Stille. Eine Türe wird geöffnet.

VERTEIDIGER Bitte, Madame.

Sie treten ein, die Türe wird geschlossen, in einem Zimmer.

STAATSANWALT Nun?

VERTEIDIGER Kein bißchen hat er sich beruhigt. Kaum hört er Schritte, brüllt er wieder nach Whisky. – Darf ich bekannt machen: Herr Staatsanwalt.

JULIKA Sehr erfreut.

VERTEIDIGER Frau Wadel, Frau Julika Wadel.

STAATSANWALT Ah.

VERTEIDIGER Frau Wadel ist gestern angekommen –

STAATSANWALT Sehr erfreut.

VERTEIDIGER Wie ich befürchtet habe, Herr Staatsanwalt, will unser Häftling sich nicht daran erinnern, verheiratet zu sein. Die bloße Mitteilung, daß eine Dame gekommen sei, die sich als seine Gattin betrachtet, hat ihn wieder in eine Wut versetzt, daß man die Zelle nicht betreten kann.

STAATSANWALT Verstehe... Frau Wadel, nehmen Sie Platz.

Sie setzen sich.

JULIKA Nach so vielen Jahren, meine Herren, Sie können sich ja nicht vorstellen, wie mir zumute gewesen ist, plötzlich diese Nachricht, daß mein Mann wiederaufgetaucht sei. Offen gestanden, so habe ich meinen Mann noch nie gehört, das ist sonst nicht seine Art, Herr Staatsanwalt, glauben Sie mir. –

STAATSANWALT Sie rauchen?

JULIKA Jetzt nicht. Danke.

STAATSANWALT Ich nehme an, Herr Doktor Dünner hat Sie bereits unterrichtet, wie es zu dieser Verhaftung gekommen ist.

JULIKA Einigermaßen.

STAATSANWALT Grenzübertritt ohne Papiere, Widersetzlichkeit, Verohrfeigung eines Beamten, das alles ist bedauerlich, Madame, aber kein Grund, daß wir uns nicht von Herzen freuen, falls es sich bei unserem Häftling tatsächlich um den verschollenen Anatol Wadel handeln sollte. Wir alle kennen seinen Namen, Madame, und schätzen seine Kunst, auch wenn wir nichts davon verstehen... Die Klage, die gegen den geschätzten Verschollenen vorliegt, ist Ihnen bekannt: Vernachlässigung sämtlicher Pflichten und bürgerlicher Rechte, Landesflucht ohne behördliche Abmeldung, Nichterfüllung der Steuerpflicht, Nichterfüllung der Luftschutzpflicht, Nichterscheinen trotz polizeilicher Warnung und Mahnung betreffend die verkehrsstörende Überwucherung seiner Gartenhecke und so weiter. Vielleicht kommen noch andere Vergehen dazu: Schwächung unsrer Armee durch Kriegsdienst in der Fremdenlegion, beispielsweise. Aber all dies, wie gesagt, ist kein Grund, Madame, daß Sie sich nicht freuen sollen über seine Heimkehr – falls Sie wirklich seine Gattin sind.

JULIKA Was sonst?

STAATSANWALT Mißverstehen Sie mich nicht. –

JULIKA Und ob ich seine Gattin bin! Mein Name ist Wadel, Julika Wadel, geborene –

STAATSANWALT Das schon.

JULIKA Hier sind meine Papiere, bitte.

STAATSANWALT Daß Sie, Madame, die Gattin unseres verschollenen Anatol Wadel sind, darum geht es hier nicht.

JULIKA Sondern?

STAATSANWALT Ob er, unser Häftling, der verschollene Anatol Wadel ist. Nämlich er bestreitet es. Und bis heute, Madame, haben wir es ihm nicht beweisen können.

JULIKA Er bestreitet es?

VERTEIDIGER Und wie!

STAATSANWALT Was darf ich Ihnen anbieten, Madame?

JULIKA Er bestreitet es...

STAATSANWALT Nehmen Sie einen Whisky?

JULIKA Whisky?

STAATSANWALT Sie werden es nicht verargen, Madame, daß ich Whisky in meinem Schreibtisch habe, das ist ja nicht auszuhalten: Seit einer Woche brüllt dieser Mensch immerzu nach Whisky, Whisky, Whisky! *Geräusch von Gläsern.* Leider dürfen wir ihm keinen geben. *Geräusch des Einfüllens.* Wie nehmen Sie ihn, Madame: Halb auf halb?

VERTEIDIGER Wie ich Ihnen schon sagte, Frau Wadel! Der Herr Staatsanwalt ist ganz unserer Meinung, wir beide glauben nicht im mindesten daran, daß Ihr Herr Gemahl, und wenn er es noch so oft beschwört, ein Mörder ist.

JULIKA Ein Mörder?

STAATSANWALT Er behauptet es jeden Tag.

JULIKA Mein Mann –?

STAATSANWALT Mindestens fünf Morde will er begangen haben –

VERTEIDIGER Die er nicht beweisen kann!

STAATSANWALT So wenig wie Herr Doktor Dünner, sein Verteidiger, beweisen kann, daß er diese Morde nicht begangen hat. Hier, Madame, Ihr Whisky.

JULIKA Meine Herren, Anatol ist kein Mörder!

STAATSANWALT Hoffen wir es, Madame.

JULIKA Anatol – Dazu wäre er gar nicht imstande, Herr Staatsanwalt, ein Mensch wie Anatol, glauben Sie mir, ich bin doch acht Jahre mit ihm verheiratet gewesen! –

STAATSANWALT Das ist es ja, was ihn zur Raserei bringt.

JULIKA Was?

STAATSANWALT Daß wir ihm alle den Mörder nicht glauben. Auf Ihr Wohl, Madame, auf Ihr Wohl! In der Tat, es ist ein ungewöhnlicher Fall, der uns beide, wie Sie sehen, über die amtliche Verpflichtung hinaus beschäftigt. Wir sind an Mörder gewöhnt, die den ganzen Tag brüllen: Ich bin unschuldig! Das stört mich nicht einen Augenblick in meiner Arbeit, und es fiele mir nicht ein, deswegen Whisky zu trinken mitten am Tag. Aber ein Mensch, der seine Unschuld bestreitet und geradezu Anfälle bekommt, wenn man ihn verdächtigt, ein Ehrenmann zu sein, das geht an die Nerven, Madame, glauben Sie. Er stellt unseren ganzen Betrieb auf den Kopf, Ihr geschätzter Herr Gatte – sofern er es ist.

JULIKA Wen will er denn ermordet haben?

STAATSANWALT Sie.

JULIKA Mich –?

STAATSANWALT Zum Beispiel, ja. Erschrecken Sie nicht.

JULIKA Ermordet – mich –

STAATSANWALT Sie verstehen, Madame, daß wir neugierig sind, was er für ein Gesicht machen wird, wenn er Ihnen gegenüberstehen wird.

JULIKA Um Gottes willen –

STAATSANWALT Auf Ihr Wohl, Madame.

JULIKA *bricht in Tränen aus.*

VERTEIDIGER Frau Wadel?

JULIKA Um Gottes willen –

STAATSANWALT Trinken Sie den Whisky, Madame, fassen Sie sich! Sie werden doch nicht selber daran glauben, daß er Sie ermordet hat – Madame!…

JULIKA *schluchzt unhaltbar.*

Zehnte Szene

In der Zelle.

FREMDLING Und das war gestern?

KNOBEL Ja.

FREMDLING Und Sie haben gesagt, daß ich in Hungerstreik trete?

KNOBEL Ja.

FREMDLING Was ist denn das, Knobel?

KNOBEL Eine Art von Bierwurst.

FREMDLING Privat?

KNOBEL Klar.

FREMDLING Aber sagen Sie den Herren nicht, daß ich trotzdem etwas esse –

KNOBEL Herr van Winkle, wofür halten Sie mich?

FREMDLING Danke, Knobel, danke.

Der Häftling ißt, so daß man es hört.

FREMDLING Und geschluchzt hat sie?

KNOBEL Ich weiß nicht, was die will.

FREMDLING Wie sieht sie denn aus?

KNOBEL Bekümmern Sie sich nicht. Sie müssen essen, Herr van Winkle, gerade von wegen den Nerven. Elegant sieht sie aus. Blond. Und duften tut sie durch den ganzen Korridor.

FREMDLING Blond?

KNOBEL Warum nicht?

FREMDLING Und Figur?

KNOBEL Und ob!

FREMDLING Gemeinheit. Ein Mann in meiner Lage, ein Gefangener, der keine Wahl hat, und da soll man nicht den Kopf verlieren, ich bitte Sie, und plötzlich ist es gesagt: Ja, nur du allein. –

KNOBEL Essen Sie, Herr van Winkle, vielleicht ist es gar nicht Ihr Typ, obschon sie behauptet, Ihre Gattin zu sein.

FREMDLING Mein Typ –

KNOBEL Essen Sie! Bevor man kommt.

FREMDLING Habe ich Ihnen die Geschichte von der kleinen Mulattin erzählt?

KNOBEL Nein!

FREMDLING Das war mein Typ!

KNOBEL Eine Mulattin?

FREMDLING Brot haben sie keins –?

KNOBEL Entschuldigung, Herr van Winkle.

FREMDLING Das war am Rio Grande... Mein Lieber, das läßt sich nicht erzählen, wenn's einer nicht mit eigenen Augen gesehen hat, so ein Sonnenuntergang in der Wüste, beispielsweise. Soweit Sie sehen, nichts als Wüste, braun, gelb, da und dort ein Kaktus, sonst nichts, aber ein Kaktus, mein lieber Knobel, wie ein siebenarmiger Leuchter und so hoch wie ein Haus. –

KNOBEL Tonnerwetter!

FREMDLING Plötzlich, wir hockten gerade um unser Feuer, denn die Abende in der Wüste waren bitterkalt, und besprachen mit den Schmugglern, wie sie uns in der Nacht über die mexikanische Grenze bringen, nämlich da war schon ein Steckbrief auf mich – Plötzlich kommt er um die Felsen.

KNOBEL Felsen gibt es da auch?

FREMDLING Und was für Felsen, rot wie frisches Ochsenblut. Im Schatten sind sie violett, ich sage Ihnen, dazu ein Sternenhimmel, klar, wie er nur über der Wüste ist –

KNOBEL Und wer kam um die Felsen, wer?

FREMDLING Eine Limousine. Eine gestohlene natürlich. Eine Fahne von goldenem Staub. Eine Limousine, die quer über die offene Wüste fährt. Schaukelt wie eine Jolle, hinauf und hinunter über die Wellen von Sand – Schuß! Aber der Kerl fährt weiter, und ich denke natürlich, das ist die Polizei. Schuß! Schuß! Und wer ist drin?

KNOBEL Wer denn?

FREMDLING Jim.

KNOBEL Wer ist Jim?

FREMDLING Ihr Mann.

KNOBEL Von der Mulattin?

FREMDLING Klar.

KNOBEL Tonnerwetter!

FREMDLING Ein Neger. Eine Seele von Mensch, aber nicht, wenn man ihm die Frau gestohlen hat, versteht sich. So in der Dunkelheit, ich sage Ihnen, wenn man bloß seine weißen Zähne und seine weißen Augen sieht – Prost!

KNOBEL Und?

FREMDLING Nämlich wir liebten uns.

KNOBEL Die Mulattin und Sie?

FREMDLING Ich fragte sie: Liebst du mich oder liebst du ihn? Sie verstand mich ganz genau – und nickte… Und Schuß! Und kein Wort mehr von Jim.

KNOBEL Er war tot?

FREMDLING Sofort.

KNOBEL Tonnerwetter!

FREMDLING Sie küßte mich. Das ist mein Typ.

KNOBEL Tonnerwetter!

FREMDLING Ich liebe die Neger, aber ich vertrage keine verheirateten Männer, auch wenn es Neger sind. Immer mit Rücksicht, das liegt mir nicht. Natürlich fuhren wir sofort über die Grenze.

KNOBEL Nach Mexiko –

FREMDLING Ohne Licht, versteht sich. Links der Rio Grande. Mit Vollmond.

KNOBEL Das war Ihr dritter Mord?

FREMDLING Ich glaube...

KNOBEL Nehmen Sie noch diese Bierwurst, Herr van Winkle. Leider muß ich ja weiter. Die andern fluchen schon jedesmal, daß ich so lange bei Ihnen bleibe.

FREMDLING Das Prinzip der Liebe ist der Raub, alles andere ist Schmus, das können Sie mir glauben, Schmus für blutarme Bürger wie Doktor Dünner und diese Sorte. Wenn ich dran denke, wie ich diese Florence zum ersten Mal erblickte – damals in dem Sägewerk!...

KNOBEL Sie meinen die Mulattin?

FREMDLING Oben in Kalifornien, wissen Sie, ich ging an die Küste und wollte fischen, denn ich hatte kein Geld, um etwas anderes zu essen. Plötzlich, es war ein wolkenloser Mittag, raucht es über der Küste hinter mir, ein Rauch, mein Lieber, daß es wie eine Sonnenfinsternis aussah, plötzlich. Das kann nur das große Sägewerk sein, dachte ich, in dieser einsamen Gegend. Sie müssen sich vorstellen: stundenlang kein einziges Haus, ein paar Schafe, nichts weiter, unten die Brandung mit Pelikanen und grölenden Seehunden, nichts weiter. Und wie ich auf den Hügel keuche, der Himmel war voll fliegender Funken, so etwas von Feuersbrunst habe ich noch nicht erlebt. Und wie es prasselte! Von Feuerwehr natürlich keine Spur. Die Weiber standen und heulten, bissen sich in die Fingernägel und baten Gott im Himmel, daß er den Wind abstellte. Kein Wasser zum Löschen, und es war Sonntag, die Männer hockten in der fernen Stadt. Und in der Luft flatterte und knatterte es von purpurnen Fahnen, Flammen aus allen Dächern und Fenstern. Ein herrlicher Anblick. Aber nichts zu machen. Draußen ein ganzer Ozean voll Wind, und wie der so hineinblies in diese Stapel von trockenem Holz, es war eine Hitze, nicht auf hundert Schritt auszuhalten. Und mittendrin stand noch ein Tank voll Benzin... Ich fragte sie, ob sie wahnsinnig wäre, jeden Augenblick konnte der Tank in die Luft gehen, aber trotzdem rannte sie in ihre Hütte.

KNOBEL Wer?

FREMDLING Mitten in den Qualm und Rauch. Die junge Mulattin.

KNOBEL Tonnerwetter!

FREMDLING Und ich – ihr nach!

KNOBEL Klar.

FREMDLING Wieso: klar? Es war der fertige Wahnsinn, aber ich dachte, vielleicht will sie ein Kind retten. – Kurz und gut, da stehe ich nun also in der Hütte, draußen brennen schon einzelne Schindeln, ein alter Neger rennt auf dem Dach herum mit einem lächerlichen Gartenschlauch, um die lodernden Schindeln zu begießen, jede einzelne, und drinnen ein Qualm, daß man fast erstickt. Hallo? schreie ich: Was kann ich retten? Und da steht sie nun, reglos und heulend, die Hände in den Hüften, eine junge Mulattin, ich sage Ihnen, mein lieber Knobel, ein Geschöpf. – Alles andere war Plunder, nicht der Rettung wert, ich hatte eine Wut im Leibe, daß ich sie nur so packte und schüttelte.

KNOBEL Wieso?

FREMDLING Ich solle den Eisschrank retten, meint sie. Fällt mir ja nicht ein! schreie ich. Und draußen spritzt der alte Neger noch immer mit seinem dünnen Gartenschlauch. Was willst du denn? sagt sie. Dich! sage ich. Und wie ich sie packe, lacht sie mit ihrem ganzen Gebiß. Ich habe einen Mann! sagt sie. Also los! sage ich. Hast du einen Wagen? sagt sie. Wagen gibt es genug! sage ich. Und wie sie mich umarmt, kracht schon das Dach, daß die Funken stieben. Ich trage sie in den ersten besten Wagen, der auf der Straße stand, hinein und los. Der Besitzer, ein Tourist, merkte es gar nicht, als ich an ihm vorüberfuhr, alle gafften auf den Benzintank, der jeden Augenblick in die Luft gehen konnte.

KNOBEL Und Sie? Auf und davon?

FREMDLING Vier Stunden später hockten wir unter einem Riff und fischten, wo kein Mensch uns sehen konnte.

KNOBEL Tonnerwetter.

FREMDLING Wie heißt du? fragte ich. Florence! sagte sie. Mein Mann wird dich töten, wenn er uns erwischt. Ich lachte nur und sie schlug die Muscheln auf, damit ich Köder hatte zum Fischen –

Es klopft.

FREMDLING Scht.

KNOBEL Und Sie haben etwas gefischt?

FREMDLING Aber sooooo. –

KNOBEL Tonnerwetter!

Es klopft.

FREMDLING Herein!

Die Türe wird aufgemacht.

KNOBEL Guten Morgen, Herr Doktor.

Der Wärter geht hinaus und macht die Türe wieder zu.

FREMDLING Warum so bedrückt, Doktor?

VERTEIDIGER Guten Morgen.

FREMDLING Nehmen Sie Platz.

VERTEIDIGER Sie haben mich belogen.

FREMDLING Was soll ich mit diesem Album?

VERTEIDIGER Sie haben behauptet, daß Sie sich nicht erinnern können, verheiratet zu sein und jemals in unserer Stadt gelebt zu haben, ja daß Sie sich ein Leben in unserer Stadt nicht einmal vorstellen können.

FREMDLING Nicht ohne Whisky.

VERTEIDIGER Und dieses Album? Schauen Sie es nur an. Warum lügen Sie? Bitte sehr, hier, schwarz auf weiß: Anatol in seinem ersten Atelier, Anatol am Strand von Saintes-Maries – und an diese blonde Dame erinnern Sie sich wohl auch nicht? Hier: Anatol auf dem Eiffelturm, Anatol raucht Pfeife, Anatol vor dem russischen Denkmal in Berlin. Und hier, bitte sehr, schwarz auf weiß: Wie Sie an der Tafel sitzen, Seite an Seite mit unserem Bürgermeister, der eben eine

Rede gehalten hat über Sie und Ihnen die Hand schüttelt. Und so weiter!... Warum bestreiten Sie, dieser Mensch zu sein?

FREMDLING Woher haben Sie dieses Album?

VERTEIDIGER Meinen Sie, Sie können mich lächerlich machen –

FREMDLING Ich frage Sie: Woher haben Sie dieses Album?

VERTEIDIGER Hier, bitte sehr, wie Sie die Schwäne füttern, niemand anders als Sie. Und im Hintergrund, Sie sehen es ja selbst, das Münster, unser Münster! – und mir, Ihrem Verteidiger, sagen Sie seit einer Woche, sie hätten nie in unserer Stadt gelebt.

FREMDLING Was heißt »leben«?

VERTEIDIGER Das Album habe ich von der Dame bekommen, die Sie heute morgen besuchen wird.

FREMDLING Kann sein, daß ich Schwäne fütterte. Mit eurem unmöglichen Münster im Hintergrund, schwarz auf weiß, aber Schwäne füttern und neben eurem Bürgermeister sitzen, lieber Doktor, das ist doch kein Beweis, daß ich hier – gelebt habe.

VERTEIDIGER Wo denn?

FREMDLING Jedenfalls nicht hier, in diesem Album.

VERTEIDIGER Unserem Wärter können Sie erzählen, daß Sie im Dschungel gewesen sind, aber nicht mir: In zehn Tagen müssen wir vor die Schranken, wie stehe ich da, wenn Sie mir nicht sagen, wer Sie sind, mir, Ihrem amtlichen Verteidiger – wie stehe ich da?

FREMDLING Das ist Ihre Sache, lieber Doktor...

VERTEIDIGER Ich tue, was ich kann!

FREMDLING Sie tun mir leid, lieber Doktor...

VERTEIDIGER Warum sind Sie so verstockt? Wo ich Ihnen sage: Unsere Stadt ist sogar bereit, Ihnen sofort einen Ehrenpreis zu verleihen, damit Sie sofort Ihre fälligen Steuern zahlen können. Und überhaupt! Warum dieser Trotz? Alles ist da: ein Atelier, ein bekannter Name, eine Gattin, die sich aufopfert für Sie –

FREMDLING Auch das noch.

VERTEIDIGER Die Akademie ist bereit, die Buße wegen der Ohrfeige zu übernehmen, und fast jedermann, wenn er Sie auf der
Straße trifft, wird sich freuen, daß Sie wieder da sind, auch Ihre
alten Feinde. Warum weigern Sie sich, unser geschätzter Anatol Wadel zu sein?

FREMDLING Mein lieber Doktor –

VERTEIDIGER Warum?!

FREMDLING Weil ich es nicht bin. – Was diese Dame betrifft, wie
gesagt, ich habe nichts gegen den Besuch von Damen, Doktor,
ich kann nur meine Warnung wiederholen: Ich bin ein sehr
sinnlicher Mann, Doktor, besonders im Frühling. Hem-
mungslos.

VERTEIDIGER Ich sagte es ihr.

FREMDLING Und die Dame beharrt darauf, mich in dieser Zelle
zu treffen?

VERTEIDIGER Unbedingt.

FREMDLING Unter vier Augen?

VERTEIDIGER Sie kann es kaum erwarten, sagt sie, mit Ihnen zu
sprechen. Sie ist überzeugt, daß Sie ihr Gatte sind. Sie sagt –

FREMDLING Was?

VERTEIDIGER Sie brach in Schluchzen aus, als sie von Ihren an-
geblichen Morden hörte. Sie sagt, sie kenne ihren Gatten
besser, als er sich selbst kenne. Und von hemmungsloser
Leidenschaft, sagt die Dame, könne nicht die Rede sein. Das
sei immer nur ein Wunschtraum ihres Gatten gewesen, sagt
die Dame und ist gewiß, daß sie allein mit Ihnen fertig
wird.

FREMDLING Bitte.

VERTEIDIGER Ich verstehe Sie nicht! Ein einziges Wort des Ge-
ständnisses, daß Sie der Verschollene sind, und morgen wären
Sie auf freiem Fuß!

FREMDLING Auf freiem Fuß!

VERTEIDIGER Warum lachen sie?

FREMDLING Als Wadel, Anatol Wadel, Bürger dieser Stadt, der
er so viele beglückende Skulpturen geschenkt hat – Herr Doktor Dünner, es ist hoffnungslos. Gehen Sie spazieren.

VERTEIDIGER Was ist hoffnungslos?

FREMDLING Ihre ganze Verteidigung.

VERTEIDIGER Wieso?

FREMDLING Reden wir über Rußland!

VERTEIDIGER Ich verstehe Sie wirklich nicht, Herr Wadel –

FREMDLING *brüllt.* Ich heiße nicht Wadel!!!!

   Kleines Schweigen.

VERTEIDIGER Wie denn? Ich frage Sie: Wie denn?

   Es klopft an der Türe.

VERTEIDIGER Wenn Sie mir keinen Namen sagen, wie soll ich Sie
   denn verteidigen – einen Menschen ohne Namen?

FREMDLING Darauf käme es ja gerade an.

   Es klopft abermals.

VERTEIDIGER Herein!

   Die Türe wird aufgemacht.

VERTEIDIGER Was gibt es denn, Knobel?

KNOBEL Die Dame.

VERTEIDIGER Ah –

FREMDLING Ich lasse bitten.

   Die Dame tritt in die Zelle.

JULIKA Anatol – *Stille.* Anatol, erkennst du mich nicht mehr?

FREMDLING Bitte, Madame, nehmen Sie Platz.

VERTEIDIGER Wenn es Ihnen recht ist, Frau Wadel, werde ich
   mich jetzt zurückziehen. Wie gesagt, die Zelle wird geschlossen, aber der Wärter ist immer in der Nähe, er hört jeden Ruf.
   *Der Verteidiger und der Wärter (und mit ihnen der Hörer)
   verlassen die Zelle. Draußen im Korridor.*

VERTEIDIGER Knobel, Sie bleiben in der Nähe.

KNOBEL Klar.

VERTEIDIGER Für jeden Fall.

KNOBEL Nur keine Sorge…

   Der Verteidiger entfernt sich durch den Korridor.

Elfte Szene

Im Büro des Staatsanwalts.

STAATSANWALT Ich weiß nicht, Herr Kollege, ich weiß nicht! –
Vielleicht kann man die Sache auch anders sehen.

VERTEIDIGER Ich nicht, Herr Staatsanwalt!

STAATSANWALT Sie verlangen von diesem Mann, daß er Ihnen
die ganze Wahrheit sage, die Wahrheit, wo und wie er gelebt
habe –

VERTEIDIGER Ich bin sein Verteidiger.

STAATSANWALT Was heißt Wahrheit?

VERTEIDIGER Ich bitte Sie, Herr Staatsanwalt, das Album und
alles übrige, Indizien auf Indizien, ganz zu schweigen davon,
daß sie, die Frau Wadel, ihn sofort erkannt hat – jetzt sind sie
schon eine Stunde zusammen in der Zelle.

STAATSANWALT Und?

VERTEIDIGER Es gibt keinen Zweifel, daß er ihr Gatte ist.

STAATSANWALT Hm.

VERTEIDIGER Warum lächeln sie?

STAATSANWALT Ich will Ihnen etwas sagen, Herr Kollege. Seit
mehr als zwanzig Jahren bin ich Staatsanwalt. Ich weiß nur eines: daß man alles beweisen kann, ausgenommen die Wahrheit. Glauben Sie mir: Niemand, und wenn man ihn foltern
würde, ist imstande, die Wahrheit zu sagen – es sei denn, er
erfinde sie.

VERTEIDIGER Sie glauben an seine Wildwestgeschichten?

STAATSANWALT In gewissem Sinne: Ja.

VERTEIDIGER Spaß beiseite, Herr Staatsanwalt –

STAATSANWALT Wenn Sie einem Menschen bloß die Taten glauben, die er wirklich getan hat, mein lieber Doktor, dann werden Sie ihn niemals kennenlernen. Sie mit Ihrer Forderung auf
die ganze Wahrheit! Als ob tausend Bilder, die einer fürchtet
oder hofft, und all die Taten, die ungeschehen bleiben in unserem Leben, nicht auch zur Wahrheit unseres Lebens gehör-
ten…

Es klopft.

STAATSANWALT Herein.

Der Wärter tritt ein.

KNOBEL Die Dame möchte Sie sprechen.

VERTEIDIGER Wo ist sie denn?

KNOBEL Sie wird gleich kommen, Herr Doktor, sobald sie sich gekämmt hat.

STAATSANWALT Gekämmt?

KNOBEL Sie hat alles in ihrem Täschlein, Puder und Lippenstift. Die Dame hat einen Knopf verloren, sagt sie.

STAATSANWALT Einen Knopf?

KNOBEL Sagt sie, ja, von ihrem Rock.

STAATSANWALT Was ist geschehen, Knobel?

KNOBEL Ich weiß nicht, Herr Staatsanwalt, ich war ja im Korridor, zu hören war nichts –

Die Dame tritt ein.

STAATSANWALT Nehmen Sie Platz, Frau Wadel.

JULIKA Danke...

STAATSANWALT Sie nehmen einen Whisky?

JULIKA Es ist mir furchtbar, meine Herren –

STAATSANWALT Was?

JULIKA Wo ist mein Taschentuch?

VERTEIDIGER Sie haben sich sehr aufgeregt –

JULIKA Wo ist mein Gürtel?

VERTEIDIGER Gürtel?

JULIKA Ich hatte doch einen Gürtel!

VERTEIDIGER Knobel, sehen Sie nach!

JULIKA Schildkröte. Mit einer roten Spange –

Der Wärter geht hinaus, der Staatsanwalt füllt Gläser.

JULIKA Denken Sie nichts Falsches, meine Herren –

STAATSANWALT Sie brauchen nichts zu erzählen, Madame, wenn es Sie nicht dazu drängt.

JULIKA Danke.

VERTEIDIGER Sagen Sie uns nur eins, Frau Wadel: Ist es Ihr Gatte oder ist er es nicht?

JULIKA Ich weiß nicht –

VERTEIDIGER Sie wissen nicht?

JULIKA Er ist so anders, als ich ihn kenne – so…

VERTEIDIGER So grob und verstockt, ich weiß.

JULIKA Im Gegenteil.

STAATSANWALT Trinken Sie den Whisky, Madame. Sie brauchen wirklich nichts zu erzählen.

JULIKA Im Gegenteil – er war so bezaubernd… Es ist mir furchtbar, meine Herren, das mit dem Gürtel!

VERTEIDIGER Beruhigen Sie sich, Frau Wadel. Ich bin der festen Überzeugung, daß er niemand anders als Ihr geschätzter Gatte ist, sonst hätten wir Sie niemals dieser Bedrohung ausgesetzt, versteht sich.

JULIKA Er hat mich nicht bedroht – Im Gegenteil…

STAATSANWALT Warum sind Sie so erregt?

JULIKA Ich bin so glücklich, meine Herren…

STAATSANWALT Aber?

JULIKA Er sagt, er heiße Rip van Winkle!

STAATSANWALT Wie heißt er?

JULIKA Rip van Winkle… *Sie unterdrückt ein kommendes Schluchzen.*

STAATSANWALT Rip van Winkle?

JULIKA Ja!

VERTEIDIGER Fassen Sie sich, Frau Wadel! Sie zweifeln doch nicht daran, daß er Ihr Gatte ist!

JULIKA Ich habe ihn nie so gesehen – *Das Schluchzen bricht aus.* Er – war – so – bezaubernd –.

Das Münster beginnt mit seinem dröhnenden Stundenschlag, der sich, zusammen mit ihrem Schluchzen, verliert.

Zwölfte Szene

Akustik eines Telefons.

SEKRETÄRIN Ja, hier ist das Sekretariat der Staatsanwaltschaft. Ich soll Sie anrufen, Herr Kommissar, im Namen des Herrn Staatsanwaltes, leider ist der Herr Staatsanwalt gerade beschäftigt. Und es wäre sehr eilig.

KOMMISSAR Worum handelt es sich?

SEKRETÄRIN Der Herr Staatsanwalt möchte wissen, ob es eine Person namens Rip van Winkle gibt oder jemals gegeben hat. Der Name kommt ihm bekannt vor, aber –

KOMMISSAR Wie heißt er?

SEKRETÄRIN Rip van Winkle.

KOMMISSAR Rip van Winkle – wie schreibt sich das?

SEKRETÄRIN Ja. Wie man es sagt.

KOMMISSAR Wir werden nachsehen.

SEKRETÄRIN Der Herr Staatsanwalt wäre Ihnen sehr verbunden.

KOMMISSAR Bitte sehr.

Die Hörer werden eingehängt.

Dreizehnte Szene

In der Zelle. Der Fremdling pfeift.

KNOBEL Sie hatten recht, Herr van Winkle! Die Dame – gestern – hat sich getäuscht. Umsonst diese Sucherei den ganzen Tag. Der rote Gürtel war zu Hause.

FREMDLING Hm.

KNOBEL Wie haben Sie es mit dem Hungerstreik?

FREMDLING Was gibt es denn heute?

KNOBEL Gerstensuppe, Mais und Apfelmus.

FREMDLING Danke, nein.

Der Wärter nimmt die Kessel auf, um weiterzugehen mit dem Essen.

FREMDLING Wann bekomme ich meinen Whisky?

KNOBEL Ich melde es ihnen jeden Tag, den Herren Doktoren da vorne, aber Alkohol ist verboten, sagen sie, Alkohol in der Untersuchungshaft – aber wer weiß, Herr van Winkle, vielleicht dürfen Sie ja morgen schon in die Stadt.

FREMDLING Ich?

KNOBEL Oder übermorgen. Dann können Sie ja Whisky trinken, soviel Sie brauchen.

FREMDLING Wieso in die Stadt?

KNOBEL Ich soll nicht davon reden, Herr van Winkle.

FREMDLING Wieso in die Stadt? Heraus mit der Sprache. Was soll das heißen? Man will mich auf freien Fuß setzen: Unter einem falschen Namen?

KNOBEL Herr van Winkle –

FREMDLING Reden Sie. Was wird hier gespielt?

KNOBEL Nun ja –

FREMDLING Sonst kommt dieses Apfelmus nicht aus meiner Zelle, Knobel, das sage ich Ihnen!

KNOBEL Sie haben der Dame sehr gefallen, scheint es...

FREMDLING Und?

KNOBEL Jedenfalls hat die Dame eine Kaution hinterlegt.

FREMDLING Kaution?

KNOBEL Ich habe es gestern nur so im Vorbeigehen gehört, ein ziemlicher Betrag, wenn ich recht gehört habe.

FREMDLING Kaution? Wofür?

KNOBEL Nun ja – für Sie, Herr van Winkle. Die Dame ist verliebt in Sie, das habe ich ja gleich gemerkt, wie sie aus der Zelle kam... Damit Sie die Erlaubnis bekommen, zweimal in der Woche spazierenzugehen.

FREMDLING Mit ihr?

KNOBEL Frische Luft und so, Zerstreuung, das kann nichts schaden, meint der Staatsanwalt. Und Doktor Dünner ist auch dafür. Wiedersehen mit der Heimat, sagt er, die Dame soll Ihnen unsere Stadt zeigen.

FREMDLING Hm.

KNOBEL Wir werden es ja erfahren. Jedenfalls wird der Antrag geprüft, sonst hätte man mich nicht gefragt: Glauben Sie, daß der Häftling sich auf der Straße unflätig benehmen könnte?

FREMDLING Was haben Sie darauf gesagt?

KNOBEL Ich garantiere für nichts!

FREMDLING Ich danke Ihnen, Knobel.

KNOBEL Wenn einer gerade aus dem Dschungel kommt, habe ich gesagt, aus Jamaika –

FREMDLING Aus Mexiko!

KNOBEL Mexiko oder Jamaika, das macht keinen Unterschied, Herr van Winkle, die glauben Ihnen ja beides nicht.

Der Fremdling wirft sich auf die Pritsche, er lacht.

FREMDLING Spazieren! –

Der Wärter nimmt den letzten Kessel.

KNOBEL Wenn ich nicht Familie hätte, Herr van Winkle, das können Sie mir glauben, keinen Tag länger würde ich es machen. Aufschließen würde ich, damit ihnen die Augen aufgehen, diesen Herren Doktoren: Mit diesem Schlüssel aufschließen und ab in den Dschungel, wir beide!

Draußen ruft man den Wärter.

KNOBEL Jaaa, Herrgott, ich komme ja schon!

FREMDLING Spazieren – und ihren Botanischen Garten bewundern, als hätte man nicht all diese Gewächse in Wahrheit gesehen! – Schwäne füttern: mit Blick in die Berge – und vergessen, daß es wirkliche Vulkane gibt...

KNOBEL Sie haben wirkliche Vulkane gesehen?

FREMDLING Vulkane, mein lieber Knobel, das ist es, was ich eine Landschaft nenne, Berge mit glühender Lava, daß man nicht schlafen kann, so glüht es durch die Nacht –

KNOBEL Tonnerwetter.

FREMDLING Und die Erde zittert vom Gepolter. –

KNOBEL Tonnerwetter!

FREMDLING Damals arbeitete ich doch in einer Plantage, plötzlich stinkt es nach Schwefel. Nanu! denke ich, und wie es mir zu heiß wird unter den Füßen, laufe ich natürlich davon. Eine Stunde später, wie ich zurückschaue, ist es schon ein kleines Hügelchen. – Am andern Morgen raucht es, daß man die Sonne kaum sehen kann, und es donnert, daß die Menschen ihre Hütten räumen, die Kirchenglocken läuten Tag und Nacht, und vor unseren Augen wächst ein Berg, die Vögel schwirren, die Wolken sind rot. Am sechsten Tag, und die Hunde winselten und verkrochen sich, ist er geborsten. Krach: daß die glühenden Steine nur so in den Himmel flogen.

KNOBEL Ein Vulkan?

FREMDLING Was sonst.

KNOBEL Tonnerwetter!

FREMDLING Und wie dann so die Lava kommt – davon ein andermal, mein lieber Knobel, bringen Sie jetzt das Apfelmus!

KNOBEL Lava?

FREMDLING Rot wie das Blut aus einem schwarzen Stier, so schießt es heraus, es glüht wie in einem Hochofen, und dann kommt es näher, ein haushoher Brei, langsam, aber unaufhaltsam, die Wälder verschwinden, es kracht und poltert, da hilft kein Gebet, langsam kommt sie zum Dorf, kriecht in die Gassen mit ihrem glühenden Tod, die Häuser ertrinken, und nur ein Kirchturm zeigt noch, wo jenes Dorf gewesen ist, nachher ist alles wie Schlacke, schwarz und violett. Und still wie der Tod, still wie die Ewigkeit.

KNOBEL Tonnerwetter!

FREMDLING Nur der Berg raucht weiter, die Wolken sind rot – und wer es einmal erlebt hat, mein braver Knobel, der weiß, wie heiß es ist im Innern der Erde und was es bedeutet, ein Mensch zu sein, ein Gast auf dieser Erde... Bringen Sie jetzt das Apfelmus!

Vierzehnte Szene

Akustik eines Telefons.

STAATSANWALT Das ist ja ein Witz, mein Lieber –

STIMME Mehr kann ich nicht sagen.

STAATSANWALT Ich danke dir. Ein Märchen! Und da frage ich mich durch alle Kanzleien hindurch, natürlich wissen sie nicht, wer Rip van Winkle ist – ein Märchen!

STIMME Ich weiß nicht mehr, wo ich es gelesen habe, aber es ist der Name eines amerikanischen Märchens, das weiß ich ganz bestimmt, genauer habe ich es nicht in Erinnerung –

STAATSANWALT Das genügt. Ich danke dir. Du hast mir einen großen Dienst erwiesen, im Ernst –

STIMME Also auf heute abend.

STAATSANWALT Gruß an deine Frau –

Der Staatsanwalt hängt den Hörer ein.

STAATSANWALT Ein Märchen!... Fräulein Schmidt, Sie brauchen nicht weiter anzurufen. Nehmen Sie ein neues Papier und schreiben Sie.

Die Sekretärin spannt einen Bogen in die Maschine, der Staatsanwalt diktiert, man hört dabei immer wieder das Tippen.

STAATSANWALT Rip van Winkle. Ein amerikanisches Märchen. – Rip van Winkle war ein alter Niederländer und lebte schon viele Jahre in New Amsterdam, jedermann kannte ihn als einen braven und tüchtigen Mann. – Eines Mittags ging er am Hudson entlang und stieg auf die schwarzen Felsen von Manhattan, um sich ein kleines Schläfchen zu gönnen. – Plötzlich, in seinem Schlaf an der Sonne, hörte Rip ein seltsames Gepolter, dumpf wie ein Donnern unter der Erde, das ihm keine Ruhe ließ. Er machte sich auf den Weg –

SEKRETÄRIN Keine Ruhe ließ.

STAATSANWALT Er machte sich auf den Weg, um das seltsame Gepolter zu erforschen, und kam in eine Grotte, die er noch nie gesehen hatte. – Hier war eine Gesellschaft von munteren Kobolden, die Kegel spielten, das war das Gepolter, und als sie Rip, den braven Niederländer, erkannten, ließen sie ihm keine Ruhe, bis er mit ihnen zechte und trank. – Dafür mußte Rip ihnen helfen, die Kegel aufzustellen. – Das Zechen und Kegeln, das Poltern und Lachen nahmen kein Ende, immer und immer wieder, kaum hatte der arme Rip die schweren Kegel aufgestellt, lachten die Kobolde und schossen sie wieder über den Haufen, so daß es krachte und donnerte. – Als Rip van Winkle endlich erwachte, lag er noch immer auf den schwarzen Felsen von Manhattan, die Sonne schien, als wäre kaum eine Stunde vergangen, aber siehe da –

SEKRETÄRIN – als wäre kaum eine Stunde vergangen.

STAATSANWALT Aber siehe da, wie Rip van Winkle wieder in sein Städtchen hinunterkam, war alles verändert; es waren Jahre vergangen. – Sein Haus stand verlottert und von Unkraut überwuchert, und Rip erkannte keinen Menschen mehr. Aber die Menschen kannten auch ihn nicht mehr, nur seinen Namen. So stand er da, ein Fremder in einer fremden Stadt. –

SEKRETÄRIN – nur seinen Namen.

STAATSANWALT So stand er da, ein Fremder in fremder Stadt.

Das Tippen verstummt.

STAATSANWALT Gut.

SEKRETÄRIN Das ist alles, Herr Staatsanwalt?

STAATSANWALT Jawohl.

Fünfzehnte Szene

Im Kaffeehaus. Geräusch wie früher im Kaffeehaus.

JULIKA Warum bist du so schweigsam?

Die Kaffeemaschine zischt.

JULIKA Warum du so schweigsam bist, frage ich.

FREMDLING Ich liebe dich, Julika. –

JULIKA Aber?

FREMDLING Ich vertrage diese Fragerei nicht.

JULIKA Anatol –

FREMDLING Ich bin nicht Anatol, ich bin nicht dein Gatte, Julika, und wenn du das nicht begreifen kannst – mag sein, dein Gatte hat es sich gefallen lassen, das heißt, bis er es nicht mehr aushielt.

JULIKA Was?

FREMDLING Diese Fragerei, wo bist du gewesen?... Herr Ober!

JULIKA Ich bitte dich!

FREMDLING Im Dschungel bin ich gewesen, meine Liebe, und mehr sage ich nicht, und wenn du es nicht glauben willst, dann laß es bleiben, und wenn du es nicht lassen kannst, dann gehe ich eben wieder in den Dschungel... Herr Ober!

JULIKA Warum bist du so ungehalten?

FREMDLING Herr Ober!

JULIKA Ein Spaziergang an der frischen Luft, überhaupt ein paar Stunden im Freien, ich dachte, es tut dir gut, es freut dich, die Stadt zu sehen. Erinnerst du dich nicht, wie oft wir in dieser

Nische gesessen haben? Mit dem Stoll und all den andern. Sie haben immer gesagt: Anatol ist tot. Nur ich habe gewußt, daß mein Mann eines Tages wiederkommt. Stelle dir vor, sie wollten bereits eine Gedächtnisausstellung machen, eine Anatol-Wadel-Gedächtnisausstellung. Nein, habe ich gesagt, mein Mann ist nicht tot –

OBER Was darf ich bringen?

FREMDLING Noch einen Whisky.

OBER Bitte sehr.

JULIKA Du solltest nicht soviel trinken.

FREMDLING Ich habe Durst, meine Liebe, und ganz abgesehen davon, ich lasse mir nicht vorschreiben, wieviel ich trinken soll, zum letzten Mal: Ich bin nicht dein Gatte, Julika. Warum willst du es nicht einsehen. Es ist so schade. Du wärest eine so herrliche Frau, blühend –

JULIKA Es geht mir auch besser als je.

FREMDLING Also.

JULIKA Ich war wirklich zum Sterben krank.

FREMDLING Meinetwegen. Aber wozu denn willst du die ganze Zeit, daß ich dein verschollener Gatte sei, der dich so krank gemacht hat, wie du sagst, zum Sterben krank. Wozu? Ich verstehe dich nicht, Julika.

JULIKA Ich dich auch nicht.

FREMDLING Ist das ein Grund, daß du mich für deinen Gatten hältst? Wie gesagt, du bist eine zauberhafte Frau, ich sage das nicht wegen der Kaution, zu der du dich hast hinreißen lassen, im Ernst, ich bedaure es von ganzem Herzen, Julika, daß wir einander nicht früher in diesem Leben begegnet sind. Glaube mir: Sobald du nicht meinst, ich sei dein verschollener Gatte, bist du schön und lebendig, eine Frau, wie ich noch wenige gefunden habe in meinem Leben –

OBER Ein Whisky.

FREMDLING Danke. – Wir könnten es so herrlich haben, Julika. Wenn du es bloß lassen könntest, immer und immer wieder von deinem verschollenen Gatten zu reden, von seinem Atelier, von seinen Gewohnheiten. Was geht das mich an?

JULIKA Anatol –

FREMDLING Du kannst mich Anatol nennen, soviel du willst, ich bin es nicht.

JULIKA Und wenn ich es dir beweise?

FREMDLING Was?

JULIKA Daß du mein Gatte bist.

FREMDLING Julika –

JULIKA Was dann?

FREMDLING Ich müßte dich ermorden, Julika, wie ich meine erste Gattin ermordet habe.

Die Kaffeemaschine zischt.

JULIKA Du siehst doch selbst, daß jedermann dich kennt. Das ist Stoll, der eben genickt hat.

FREMDLING Wer ist Stoll?

JULIKA Stoll, der Schriftsteller!

FREMDLING Er gafft schon die ganze Zeit.

JULIKA Er traut seinen Augen nicht, daß du wieder da bist. Sonst wäre er längst herübergekommen. Jedermann kennt dich, schon vorher auf der Straße: wie oft man dich grüßt, auch wenn du in die Luft schaust. Du bist komisch! Du meinst, ich hätte dich in meine Wohnung genommen, wenn du nicht mein Mann wärest –

FREMDLING Herr Ober!

JULIKA Wofür hältst du mich?

FREMDLING Herr Ober!

JULIKA Um sechs Uhr mußt du im Gefängnis sein –

FREMDLING Herr Ober!

JULIKA Ich werde dich begleiten.

FREMDLING Noch einen Whisky!

OBER Bitte sehr.

FREMDLING Und wenn ich nicht ins Gefängnis gehe?

JULIKA Wie meinst du das?

FREMDLING Wenn ich abhaue?

JULIKA Das wirst du nicht tun, mein Lieber.

FREMDLING Wieso nicht?

JULIKA Meinetwegen nicht –

FREMDLING Wie sicher du bist!

JULIKA Du weißt es ganz genau: Wenn du mich noch einmal im Stiche läßt –

FREMDLING Dann bist du wieder lungenkrank, ich weiß, und ich bin dein Mörder. *Er schlägt auf den Tisch, daß die Gläser scheppern.*

JULIKA Was denn?

Kleine Pause. Der Ober kommt.

OBER Ein Whisky.

FREMDLING Ich möchte zahlen.

OBER Augenblick, mein Herr –

FREMDLING Ich habe nicht viel Zeit.

OBER Augenblick.

Der Ober geht weiter. Man hört ihn am andern Tisch.

JULIKA Warum siehst du mich so an?

FREMDLING Ich dachte, du liebst mich.

JULIKA Tue ich es nicht?

FREMDLING Statt dessen hast du nur ein einziges Ziel: daß man mich verurteilt, dein Gatte zu sein. – Es ist zehn vor sechs, ich weiß! – Es gibt einen einzigen Menschen in dieser Stadt, der mich liebt, und das ist mein Wärter, der glaubt es, wenn ich ihm erzähle, wer ich bin. Der meint nicht, er kenne mich. Ihr aber, ihr alle, das ist es, ihr wollt ja nur, daß ich nicht wage, ich selbst zu sein – auch du, meine Liebe...

OBER Sie möchten zahlen, mein Herr?

FREMDLING Bitte.

Die Kaffeemaschine zischt.

Sechzehnte Szene

Im Studio der Ballettschule. Gleiche Musik und Geräusche wie in der dritten Szene

STIMME Georges! Georges!

GEORGES Qu'est-ce qu'il y a?

STIMME Telefon!

GEORGES Je travaille!

STIMME C'est Julika.

GEORGES M'excusez, Messieurs. Je reviendrai tout de suite. Continuez votre exercice.

Georges geht in die Kabine, so daß man (alles wie in der dritten Szene) die Musik nur gedämpft hört.

GEORGES Hallo? – Ich bin es ja. – Wie geht es dir, Julika? – Du bist in Paris? – Ach so, ich verstehe. – Warum mußt du meine Stimme hören? – Er ist es. – Wann kommst du denn zurück? – Du kommst nicht. – Ich verstehe dich nicht, Julika, wenn du weinst. – Es ist ein Opfer, ich verstehe, es ist ein Opfer von dir, aber du mußt es bringen. – Durchaus nicht, Julika, du mußt tun, was dich glücklich macht, und wenn es dich glücklich macht, zu verzichten und dir selber leid zu tun. – Das ist es ja. – Ich sage, das ist es ja, warum du mich verläßt, Julika, du bist eine Dulderin, du liebst ihn so wenig wie mich, du liebst es, wenn der Mann deinetwegen ein schlechtes Gewissen hat, und dazu habe ich kein Talent, das weißt du. – Jawohl, Julika, das ist alles, was ich dir zu sagen habe. – Hallo? Hallo! – Hallo?...

Er hängt den Hörer ein, tritt wieder in das Ballettstudio.

Messieurs, nous continuons!

Siebzehnte Szene

Im Büro des Staatsanwalts.

SACHTLEBEN Das ist alles, Herr Staatsanwalt, was ich aussagen kann.

STAATSANWALT Wir danken Ihnen, Herr Sachtleben. Und wie gesagt, nehmen Sie es nicht übel, daß in den Akten immer von dem »Haarölgangster« die Rede ist. Der Ausdruck, wie Sie bemerkt haben, steht in Anführungszeichen, es ist ein Ausdruck unseres Häftlings.

SACHTLEBEN Ich werde ihn wegen Ehrverletzung verklagen.

STAATSANWALT Nur noch eine Frage, Herr Sachtleben.

SACHTLEBEN Bitte.

STAATSANWALT Haben Sie irgendeine Beziehung zu Jamaika?

SACHTLEBEN Warum? Wieso?

STAATSANWALT Ich forsche nicht nach Ihren geschäftlichen Verbindungen, Herr Sachtleben, ich möchte lediglich wissen: Haben Sie, als Anatol Wadel an ihrem Gipskopf arbeitete, von Jamaika erzählt?

SACHTLEBEN Kann sein. –

STAATSANWALT Aha.

SACHTLEBEN Ich habe ein Haus in Jamaika.

STAATSANWALT Aha.

SACHTLEBEN Warum?

Der Staatsanwalt erhebt sich, Herr Sachtleben ebenso.

STAATSANWALT Wir danken Ihnen, Herr Sachtleben. Wir sind sehr erleichtert – wenn ich so sagen darf –, daß Sie nicht ermordet sind.

SACHTLEBEN Ermordet?

STAATSANWALT Nämlich unser Häftling behauptet steif und fest, er habe Sie schon vor Jahren ermordet.

SACHTLEBEN Mich?

STAATSANWALT In Jamaika – ja.

SACHTLEBEN Ich bitte Sie!

Der Staatsanwalt hat den Herrn zur Tür begleitet, man hört eine kurze Verabschiedung, dann wird die Türe geschlossen.

VERTEIDIGER Bitte!

STAATSANWALT Sie sind erleichtert, lieber Doktor.

VERTEIDIGER Sie nicht?

Der Staatsanwalt zündet eine Zigarre an.

VERTEIDIGER Danke, ich rauche keine Zigarren.

STAATSANWALT Das also ist der Haarölgangster…

VERTEIDIGER Unser Häftling hat nie einen Menschen ermordet, ich sagte es ja von Anfang an, nichts als Geflunker!

STAATSANWALT Das schon…

VERTEIDIGER Aber?

STAATSANWALT Langsam fange ich an, lieber Doktor, zu sehen, worum es hier eigentlich geht. – Anatol Wadel war ein Mensch wie so viele, ein Mensch, der sich selbst überfordert. Mit dem Ergebnis: er lebte nicht, er spielte eine Rolle, die er sich selbst glaubte schuldig zu sein. Daher das schlechte Gewissen, das lebenslängliche Gefühl, etwas schuldig zu bleiben, das haben ja alle Leute, die sich selbst nicht annehmen. Statt daß er diesen Haarölgangster, als er nicht zahlen wollte, einfach die Treppe hinunterwarf, nein! Man möchte ein reifer und überlegener Mensch sein, man lächelt vor Reife und Überlegenheit, wie es sich gehört, dafür ermordet man den andern in seinen Träumen. Wir alle wissen ja so genau, lieber Doktor, wie wir sein sollten: bis wir nicht mehr wissen, wer wir sind. Das heißt: bis wir überhaupt keine Wirklichkeit mehr sind. Weil wir unsere Wirklichkeit nicht annehmen. Alles wird ein Spuk – das ist die Geschichte von Rip van Winkle, scheint mir.

VERTEIDIGER Wieso?

STAATSANWALT Jene lächerlichen Kegel, die Rip van Winkle aufzustellen hat, damit die Kobolde sie immer und immer wieder über den Haufen werfen, was sind die anderes, lieber Doktor, als unsere lächerlichen Selbstüberforderungen? Etwas Unhaltbares, eine sinnlose Fron, und darüber vergeht ihm das ganze Dasein, bis er erwacht, das heißt, bis er sich selber annimmt. Aber was dann? Er kommt in seine Stadt zurück und erlebt, daß seine wirkliche Stellung in dieser Welt ganz anders ist, als er und die andern es haben wollten. Und der Erwachte ist ein Fremdling in fremder Stadt, ein Unbekannter, ein Namenloser... Nur dulden wir ja keinen Namenlosen, man wird alles tun, den Erwachten in seine alte, seine überwundene und unwirkliche Rolle zurückzuzwingen.

Es klopft.

STAATSANWALT Ich frage mich nur, lieber Doktor, was dabei herauskommen soll, ich bin gar nicht erleichtert.

Es klopft.

STAATSANWALT Ja, herein!

Der Wärter tritt ein.

KNOBEL Herr Staatsanwalt, der Wagen ist bereit.

STAATSANWALT Danke. – Wir fahren also in das Atelier von

Anatol Wadel. Vielleicht fahren Sie, Herr Doktor, mit der Dame voraus. Wir kommen mit dem Häftling etwas später.

VERTEIDIGER Jawohl, Herr Staatsanwalt.

STAATSANWALT Wir werden sehen, was dabei herauskommt.

Achtzehnte Szene

Im Atelier. Man hört den dröhnenden Glockenschlag des nahen Münsters.

VERTEIDIGER Das also ist sein Atelier?

JULIKA Verstehen Sie nun, Herr Doktor, warum er das Münster so verflucht? Der Stundenschlag, das geht ja noch, aber dann – das Elfuhrläuten! In einer Viertelstunde werden Sie es hören.

VERTEIDIGER Sie sollten jeden Augenblick kommen.

JULIKA Hier, das sind seine letzten Arbeiten.

VERTEIDIGER Ah.

JULIKA Alles vertrocknet! Leider. Ich habe nichts angerührt, wissen Sie, seine Kunst ist mir heilig, überhaupt die Kunst –

VERTEIDIGER Was ist denn das?

JULIKA Skizzen. Das brauchen Sie sich nicht so anzusehen, Herr Doktor, das ist ja alles noch umwickelt. Damit der Lehm nicht trocken wird. Aber nun ist er natürlich trotzdem vertrocknet. Fünf Jahre sind eine Zeit. Warum sehen Sie mich so an?

VERTEIDIGER Wenn ich mir gestatten darf, Frau Wadel, etwas zu sagen: – es sieht aus wie Mumien.

JULIKA Jaja, klar, mit diesem Sacktuch drum herum.

VERTEIDIGER Nicht wahr?

JULIKA Wenn man es anrührt, wird alles verbröckeln, fürchte ich... Hoffentlich ist es richtig, Herr Doktor, daß ich bei dieser Konfrontation dabei bin.

VERTEIDIGER Sicher.

JULIKA Haben Sie Zigaretten, Herr Doktor?

VERTEIDIGER Aber bitte.

JULIKA Als er hier arbeitete, ach Gott, was war es für eine glückliche Zeit! Obschon er mich krank machte – danke! – Es ist das schönste Atelier in der ganzen Stadt: mit diesem Blick über die Dächer, mit gurrenden Tauben vor dem Fenster, und wenn es klar ist, sieht man sogar das Gebirge. Ich verstehe nicht, warum er nicht in dieses Atelier zurückkehren will. Ich verstehe es nicht!

VERTEIDIGER Und hier hat er auch geschlafen?

JULIKA Wie meinen Sie das?

VERTEIDIGER Gewohnt, geschlafen, gekocht – gearbeitet...

JULIKA Und wie er gearbeitet hat! Sehen Sie, das ist so eine Bronze. Seine letzte. Das steht im Nationalmuseum.

VERTEIDIGER Das sind Sie?

JULIKA Nein.

VERTEIDIGER Entschuldigung.

JULIKA Aber schauen Sie einmal: wie abstrakt!

VERTEIDIGER Ja, ja.

JULIKA Hier – das ist ein Bildnis von mir!

VERTEIDIGER Ah.

JULIKA Wie finden Sie es denn?

VERTEIDIGER Auch – sehr abstrakt...

JULIKA Nicht wahr?

VERTEIDIGER Und dazu dieser Blick über die Stadt! Sie entschuldigen, ich kann mich wirklich kaum erholen von dieser Aussicht. Sogar den Fluß sieht man! Ich verstehe es sowenig wie Sie, Frau Wadel, daß ein Mensch lieber im Gefängnis wohnt als in diesem herrlichen Atelier –
Es klingelt.

JULIKA Gott im Himmel!

VERTEIDIGER Fassen Sie sich, Frau Wadel.

JULIKA Er kommt. –

VERTEIDIGER Wie gesagt: Widersprechen Sie nicht, wenn er leugnet, lassen wir ihm einfach Zeit, plaudern Sie irgend etwas, als wäre man ganz zufällig hier, unterdessen wird er diese Skulpturen schon bemerken –

JULIKA Und wenn er sie alle zusammenschlägt?

VERTEIDIGER Damit gäbe er zu, daß er ihr Schöpfer ist. –
Es klingelt abermals.

JULIKA Nein – Herr Doktor, öffnen *Sie!*

Der Doktor geht zur Türe und öffnet. Stimme im Treppen-
haus.

STIMME Lumpen, Zeitungen, Papier!... Lumpen, Zeitungen,
Papier!...

Die Türe wird wieder zugemacht.

JULIKA Wovon sprachen wir?

VERTEIDIGER Morgen findet die Verhandlung statt, und es steht
außer Zweifel, daß er Ihr Gatte ist – nur, wie gesagt, wäre es
so viel besser, wenn er es freiwillig einsehen würde.

JULIKA Sicher.

VERTEIDIGER Es ist seine letzte Chance. – Was ist denn das?

JULIKA Ein Porträt.

VERTEIDIGER Von einem Verbrecher?

JULIKA Sie kennen ihn nicht?

VERTEIDIGER Sachtleben?

JULIKA Eine schwache Sache, finde ich, viel zu naturalistisch. –
Das ist er, ja, den er »ermordet« hat. Und dabei hätten Sie sehen sollen, wie Anatol sich gegen diesen Millionär benommen
hat, als er nicht zahlen wollte, in Wirklichkeit! Kein lautes
Wort, keine Spur von Wut, Anatol verzichtete einfach auf das
Geld. Ich habe noch nie einen Menschen gekannt, der so wenig
streiten kann wie Anatol. Dazu, wissen Sie, ist er eine viel zu
vornehme Seele. Wenn etwas nicht klappt, betrachtet er es
stets als seine Schuld. Darum liebe ich ihn ja so. –

Es klopft an der Türe.

JULIKA Herein.

VERTEIDIGER Herein!

Die Tür geht auf.

JULIKA Guten Morgen, Herr Staatsanwalt.

STAATSANWALT Guten Morgen, Frau Wadel.

JULIKA Und wo ist denn mein Mann?

STAATSANWALT Knobel?

KNOBEL Ja.

STAATSANWALT Bringen Sie den Herrn herein.

Knobel holt den Fremdling herein.

JULIKA Anatol!

FREMDLING Was soll das?

STAATSANWALT Das ist das Atelier von Anatol Wadel.

FREMDLING Und?

STAATSANWALT Wollen Sie nicht Ihren Mantel ablegen, Herr van
Winkle. Irgendwo gibt es da sicher einen Haken.

FREMDLING Ich habe hier nichts verloren.

JULIKA Anatol?!

FREMDLING Was will man von mir?... Ich ziehe meinen Mantel
nicht aus.

VERTEIDIGER Hier ist sogar ein Kleiderbügel!

FREMDLING Was will man von mir? frage ich... Rühren Sie mich
nicht an, Doktor, das vertrage ich nicht, sonst ohrfeige ich.
Der Fremdling wirft den Kleiderbügel weg.

FREMDLING Zum letzten Mal: Was will man von mir?

JULIKA Erkennst du nicht, wo du bist?

FREMDLING Genug ist genug, ich habe gesagt, was wahr ist: Ich
habe ein Verhältnis mit dieser Dame –

JULIKA Anatol!

FREMDLING Wozu führt man mich in dieses verstaubte Atelier?
frage ich. Wozu? Ich finde es zum Anspucken, all dieses Zeug.
Was hat das mit Leben zu tun? Was hat das mit mir zu tun?
Nichts als Mumien... ein solcher Kopf zum Beispiel!

JULIKA Das bist du selbst.

FREMDLING Zum Umbringen.

VERTEIDIGER Wie gesagt, ich verstehe nichts von Kunst –

FREMDLING Ich auch nicht.

VERTEIDIGER Aber ich glaube, Ihr Urteil ist zu streng. Ich habe
gelesen, jeder Künstler hat Stimmungen, wo er sein eigenes
Werk nicht billigt, nicht verstehen kann.

FREMDLING Ich bin kein Künstler.

VERTEIDIGER Immerhin –

FREMDLING Und das soll wohl der Sachtleben sein?

JULIKA Denke jetzt nicht an Sachtleben.

FREMDLING Ich denke mit Freuden an ihn, ich habe ihn ermordet – während dein Gatte sich herbeiließ, diesen Gangster auch

noch abzubilden, ganz zu schweigen davon, daß es ein miserabler Guß ist!

VERTEIDIGER Das merkt nur der Fachmann, Herr Wadel –

FREMDLING Ich heiße nicht Wadel!!!

Das letzte hat der Fremdling geschrien, dann mit gespannter Ruhe. Wenn ich noch einmal diesen Namen höre – ich haue euch dieses ganze Zeug zusammen.

JULIKA Erkennst du denn nicht, daß es dein eigenes Werk ist?

FREMDLING Ich erkenne eine Verschwörung sondergleichen. Ich liebe diese Dame, gewiß, und warum soll ich es leugnen? Man hat sie in meine Zelle geführt, man hat uns gestattet, zusammen auszugehen, geschehen ist geschehen, und ich sage es offen heraus: Ich liebe diese Dame. Was weiter? Aber glauben Sie nicht, daß ich mich deswegen zwingen lasse, den Gatten dieser Dame zu spielen –

JULIKA Anatol?

FREMDLING Ich bin es nicht.

JULIKA Herrgott im Himmel –

FREMDLING Entweder du liebst mich, wie ich bin, und verzichtest auf deinen Anatol – oder…

VERTEIDIGER Oder?

FREMDLING Oder der Teufel soll ihn holen und alles, was mich erinnert an ihn, alles – alles – alles –

Man hört, wie der Fremdling eine Skulptur auf den Boden schmettert, Julika schreit, es poltert weiter.

VERTEIDIGER *ruft.* Herr Wadel, Herr Wadel!

Während der Fremdling alles kurz und klein schlägt.

FREMDLING Ich bin es nicht – ich bin es nicht…

Das Gepolter wird von dem einsetzenden Elfuhrläuten überdröhnt.

Neunzehnte Szene

Das Glockenläuten verstummt. Man ist im Gericht. Ein kleines Geraschel von Papier, dann vollkommene Stille.

STAATSANWALT Hiermit kommen wir zur Verkündung des Urteils. – Der Angeklagte, der vor drei Wochen unsere Grenze überschritten hat, wobei er sich der tätlichen Beleidigung unserer Behörden schuldig machte, und der sich im Laufe der Untersuchungshaft als Rip van Winkle ausgab, ohne diesen Namen irgendwie mit Papieren belegen zu können, hat den Verdacht, daß er der verschollene Anatol Wadel ist, in keiner Weise widerlegen können und wird auf Grund der oben genannten Indizien, trotz verweigertem Geständnis, von Gerichts wegen dazu verurteilt, mit dem heutigen Tage wieder den Namen Anatol Wadel zu tragen. In Anerkennung seiner Verdienste (als Anatol Wadel) hat das Gericht davon abgesehen, den Angeklagten mit den Kosten des Verfahrens zu belasten, und da die Akademie der Künste sich bereit erklärt hat, die Buße für die genannte Ohrfeige sowie alle weiteren Schulden zu übernehmen, die der Verschollene noch zu begleichen hat, und da die Behauptung seitens des Angeklagten, daß er Morde begangen habe, jedes Beweises entbehrt, hat das Gericht ferner beschlossen, Herrn Anatol Wadel mit dem heutigen Tag auf freien Fuß zu setzen.

JULIKA Anatol!

STAATSANWALT Damit ist unsere Sitzung geschlossen.

Geräusch von Stimmen. Die Leute erheben sich.

VERTEIDIGER Ich gratuliere, Herr Wadel, ich gratuliere! Haben Sie es nicht gehört: Auf freiem Fuß!

JULIKA Ich werde ein Taxi bestellen –

VERTEIDIGER Warum sagen Sie kein Wort?

JULIKA Draußen warten schon die Leute von der Presse, aber mache dir keine Sorgen, mein Lieber, in deinem Atelier sind wir ganz allein –

Julika und der Fremdling entfernen sich im Geräusch der Stimmen, während der Verteidiger bleibt.

VERTEIDIGER Und mich läßt er stehen, ohne auch nur meine Hand zu nehmen! Ein Klient, der freigesprochen wird, und kein Wort des Dankes, das ist mir noch nicht vorgekommen.

STAATSANWALT Sie sind verletzt, Herr Kollege?

VERTEIDIGER Allerdings.

STAATSANWALT Wofür soll er sich bedanken?

VERTEIDIGER Immerhin –

STAATSANWALT Ich kann es verstehen.

VERTEIDIGER Auf freiem Fuß! Ich bitte Sie, Herr Staatsanwalt,
was will man mehr? Auf freiem Fuß, und mich, seinen Verteidiger, behandelt er wie Luft, Sie sehen es ja selbst: wie Luft!

STAATSANWALT Regen Sie sich nicht auf.

VERTEIDIGER Habe ich nicht mein Bestes getan?

STAATSANWALT Es ist ein hartes Urteil für ihn.

VERTEIDIGER Wieso?

Der Staatsanwalt öffnet eine Türe.

STAATSANWALT Bitte, Herr Kollege, nach Ihnen.

Sie treten ein. Die Türe wird zugemacht.

VERTEIDIGER Wieso ein hartes Urteil?

STAATSANWALT Ich hätte es ihm gerne erspart... Trinken wir einen Whisky!... Wir haben einen Menschen verurteilt, zu sein,
was er gewesen ist.

VERTEIDIGER Das verstehe ich nicht.

STAATSANWALT Leider tun wir das immer!

VERTEIDIGER Was?

STAATSANWALT Wir machen uns ein Bildnis von einem Menschen und lassen ihn nicht aus diesem Bildnis heraus. Wir wissen, so und so ist er gewesen, und es mag in diesem Menschen
geschehen, was will, wir dulden es nicht, daß er sich ver-
wandle. Sie sehen es ja, nicht einmal seine Gattin duldet es; sie
will ihn so, wie er gewesen ist, und hält es für Liebe.

VERTEIDIGER Aber ich bitte Sie, Herr Staatsanwalt –

STAATSANWALT Wir sind nicht bereit für das Namenlose, für das
Lebendige, wir haben keine Ruhe, bis wir es nicht zu einem
Namen verurteilt haben, der nicht mehr gilt. –

Man hört, wie er die Gläser füllt.

STAATSANWALT Lesen Sie wirklich einmal das Märchen von Rip
van Winkle. Besser kann ich es nicht erklären. Ein Mensch erwacht zu sich selbst, wir aber –

Es klopft.

STAATSANWALT Herein?

Der Wärter kommt.

STAATSANWALT Was ist denn los, Knobel? Sie sind ja ganz bleich.

KNOBEL Herr Staatsanwalt –

STAATSANWALT So reden Sie schon!

KNOBEL Er hat – sie sagen, er hat sie erwürgt –

VERTEIDIGER Erwürgt?

STAATSANWALT Seine Gattin?

KNOBEL Kaum war er draußen – sagen sie –

STAATSANWALT Ist sie tot?

KNOBEL Nein, Herr Staatsanwalt, aber beinah – sagen sie –
Kleine Pause.

STAATSANWALT Wo ist er denn?

KNOBEL Wieder in der Zelle.

STAATSANWALT Gut. Ich danke, Knobel, ich danke.

VERTEIDIGER Und seine Frau?

KNOBEL Das Krankenauto soll jeden Augenblick kommen –

STAATSANWALT Gut.
Der Wärter geht wieder hinaus.

STAATSANWALT Setzen Sie sich, Herr Kollege, und trinken Sie
den Whisky.

VERTEIDIGER Gott im Himmel…

STAATSANWALT Diesmal, Herr Kollege, werde ich ihn verteidigen.

Herr Biedermann und die Brandstifter
Hörspiel (1952)

M. F. zur Entstehungsgeschichte:
Zur Arbeitsgeschichte wäre noch etwas anderes zu sagen: Die Geschichte, der Plot, die Idee steht im ersten Tagebuch als Prosa-
skizze. Dann gab mir der deutsche Rundfunk den Auftrag für ein
Hörspiel, und ich brauchte die 3000 DM, die angeboten waren,
hatte aber keine Idee; da sagte mir der Mann vom Rundfunk:
Aber schauen Sie doch in Ihren Büchern nach, vielleicht ist doch
im Tagebuch etwas – er mußte mich noch darauf stoßen. Dann
habe ich dieses Hörspiel gemacht, es ist also schon aus einer Ver-
legenheit entstanden und war eine reine Auftragsarbeit, so eine
richtige Geldverdien-Arbeit. Die zweite Stufe war wieder so: Ich
hatte einen Roman abgeschlossen und publiziert: den »Homo
faber«, und ich halte es nicht aus, ohne zu arbeiten – da war ich
schon freier Schriftsteller, ich konnte also nicht auf die Baustelle
gehen –, und das Schauspielhaus Zürich sagte: Schreib ein Stück,
schreib ein Stück! Ich sagte: Ich habe keines. Die sagten: Wie wäre
es mit diesem Hörspiel? Also das zweite Mal, daß mich einer
darauf aufmerksam machen mußte. Und dann habe ich das Stück
draus gemacht. Ich erzähle das nicht als Anekdote, sondern weil
diese Art von Arbeit – wenn man einen eigenen Stoff bearbeitet
wie einen fremden, der einen nicht mehr als Erfindung interes-
siert – die handwerklich viel freiere und souveränere ist. (In: Horst
Bienek, *Werkstattgespräche mit Schriftstellern*, Deutscher Taschenbuch Verlag München 1965, S. 32.)
Skizze im *Tagebuch 1946–1949*, Werkausgabe Bd. II, S. 556–561.
»Burleske«. »Die Brandstifter. Entwurf für ein Hörspiel«, einge-
reicht bei Radio Zürich am 6. 2. 1950 (Erstdruck in: *Materialien
zu Max Frisch »Biedermann und die Brandstifter«*, hg. v. Walter
Schmitz, st 503, Frankfurt 1979, S. 35–38). Hörspiel *Herr Biedermann und die Brandstifter* für den Bayerischen Rundfunk von Anfang Juli bis Anfang November 1952 geschrieben; Erstsendung am
26. 3. 1953; Buchausgabe: Hans-Bredow-Institut Hamburg 1955.

Rip van Winkle
Hörspiel (1953)

Entstanden als Auftragsarbeit im Februar/März 1953 für den
Bayerischen Rundfunk; Ursendung: 16. 6. 1953. Zuerst erschienen
in: Kreidestriche ins Ungewisse. 12 deutsche Hörspiele nach 1945,
hg. v. Gerhard Prager. Moderner Buch-Club Darmstadt 1960.

Zeittafel

1911   geboren in Zürich am 15. Mai als Sohn eines Architekten

1924–1930   Realgymnasium in Zürich

1931–1933   Studium der Germanistik in Zürich, abgebrochen, freier Journalist
Balkan-Reise

1934   *Jürg Reinhart*

1936–1941   Studium der Architektur an der ETH in Zürich. Diplom

1938   Conrad Ferdinand Meyer-Preis

1939–1945   Militärdienst als Kanonier

1940   *Blätter aus dem Brotsack*

1942   Architekturbüro in Zürich

1943   *J'adore ce qui me brûle oder Die Schwierigen*

1945   *Bin oder Die Reise nach Peking*
Nun singen sie wieder

1946   Reise nach Deutschland, Italien, Frankreich

1947   *Tagebuch mit Marion*
Die Chinesische Mauer

1948   Reisen nach Prag, Berlin, Warschau
Kontakt mit Bertolt Brecht in Zürich

1949   *Als der Krieg zu Ende war*

1950   *Tagebuch 1946–1949*

1951   *Graf Öderland*
Rockefeller Grant for Drama

1952   Einjähriger Aufenthalt in den USA, Mexiko

1953   *Don Juan oder Die Liebe zur Geometrie*

1954   *Stiller*
Auflösung des Architekturbüros, freier Schriftsteller

1955   Wilhelm Raabe-Preis der Stadt Braunschweig
Pamphlet *achtung: die schweiz*

1956   Reise nach den USA, Mexiko, Kuba

1957   *Homo faber*
Reise in die arabischen Staaten

1958   *Biedermann und die Brandstifter*
Die große Wut des Philipp Hotz
Georg Büchner-Preis
Literaturpreis der Stadt Zürich

1960–1965   Wohnsitz in Rom

1961   *Andorra*

Max Frisch
Sein Werk im Suhrkamp Verlag

Gesammelte Werke in zeitlicher Folge. 7 Bände. Herausgegeben von Hans Mayer unter Mitwirkung von Walter Schmitz. Leinen

Band 1: Kleine Prosaschriften, Blätter aus dem Brotsack. Jürg Reinhart. Die Schwierigen oder J'adore ce qui me brûle. Bin oder die Reise nach Peking

Band 2: Santa Cruz. Nun singen sie wieder. Die Chinesische Mauer. Als der Krieg zu Ende war. Kleine Prosaschriften. Tagebuch 1946-1949

Band 3: Graf Öderland. Don Juan oder die Liebe zur Geometrie. Kleine Prosaschriften. Der Laie und die Architektur. Achtung: Die Schweiz. Stiller. Rip van Winkle

Band 4: Homo faber. Kleine Prosaschriften. Herr Biedermann und die Brandstifter. Biedermann und die Brandstifter. Mit einem Nachspiel. Die große Wut des Philipp Hotz. Andorra

Band 5: Mein Name sei Gantenbein. Kleine Prosaschriften. Zürich-Transit. Biographie: Ein Spiel

Band 6: Tagebuch 1966-1971. Wilhelm Tell für die Schule. Kleine Prosaschriften. Dienstbüchlein. Montauk

Band 7: Kleine Prosaschriften. Triptychon. Der Mensch erscheint im Holozän. Blaubart

Gesammelte Werke in zeitlicher Folge. Jubiläumsausgabe in sieben Bänden in den suhrkamp taschenbüchern. Herausgegeben von Hans Mayer unter Mitwirkung von Walter Schmitz. Textidentisch mit der Leinenausgabe. st 1401-1407

Einzelausgaben

Andorra. Stück in zwölf Bildern. BS 101 und st 277

Ausgewählte Prosa. Nachwort von Joachim Kaiser. es 36

Biedermann und die Brandstifter. Ein Lehrstück ohne Lehre. Mit einem Nachspiel. es 41

Biedermann und die Brandstifter. Ein Lehrstück ohne Lehre. BS 1075

Bin oder Die Reise nach Peking. BS 8

Biografie: Ein Spiel. Engl. Broschur und BS 225

Biografie: Ein Spiel. Neue Fassung 1984. BS 873

Blaubart. Eine Erzählung. Gebunden und BS 882

Die Chinesische Mauer. Eine Farce. es 65

Dienstbüchlein. st 205

Don Juan oder Die Liebe zur Geometrie. Komödie in fünf Akten. es 4

Erzählungen des Anatol Ludwig Stiller. Mit einem Nachwort von Walter Jens. Großdruck. it 2304

Max Frisch
Sein Werk im Suhrkamp Verlag

Forderungen des Tages. Porträts, Skizzen, Reden 1943-1982. Herausgegeben von Walter Schmitz. st 957

Frühe Stücke. Santa Cruz. Nun singen sie wieder. es 154

Graf Öderland. Eine Moritat in zwölf Bildern. es 32

Herr Biedermann und die Brandstifter. Rip van Winkle. Zwei Hörspiele. st 599

Homo faber. Ein Bericht. Leinen, BS 87 und st 354

Mein Name sei Gantenbein. Roman. Leinen und st 286

Der Mensch erscheint im Holozän. Eine Erzählung. Leinen und st 734

Montauk. Eine Erzählung. Leinen, BS 581 und st 700

Schweiz als Heimat? Versuche über 50 Jahre. Herausgegeben und mit einem Nachwort versehen von Walter Obschlager. Leinen

Stich-Worte. Ausgesucht von Uwe Johnson. st 1208

Stiller. Roman. Leinen und st 105

Stücke 1. st 70

Stücke 2. Don Juan oder Die Liebe zur Geometrie. Biedermann und die Brandstifter. Die große Wut des Philipp Hotz. Andorra. Leinen und st 81

Tagebuch 1946-1949. st 1148

Tagebuch 1946-1949. Tagebuch 1966-1971. 2 Bände in Kassette. Leinen und Leder

Tagebuch 1966-1971. Leinen, kartoniert, BS 1015 und st 256

Der Traum des Apothekers von Locarno. Erzählungen aus dem Tagebuch 1966-1971. BS 604

Triptychon. Drei szenische Bilder. Engl. Broschur und BS 722

Wilhelm Tell für die Schule. Leinen und st 2

Blaubart. Ein Buch zum Film von Krzysztof Zanussi. Herausgegeben von Michael Schmid-Ospach und Hartwig Schmidt. st 1191

Wir hoffen. Rede zum Friedenspreis des Deutschen Buchhandels. Schallplatte

Vorworte

Bertolt Brecht. Sein Leben in Bildern und Texten. Mit einem Vorwort von Max Frisch. Herausgegeben von Werner Hecht. Leinen

Albin Zollinger: Pfannenstiel. Roman. Mit einem Vorwort von Max Frisch und einem illustrierten Nachwort von Erwin Jaeckle. Kartoniert

23/2/5.91

Max Frisch
Sein Werk im Suhrkamp Verlag

Über Max Frisch

Begegnungen. Eine Festschrift für Max Frisch zum siebzigsten Geburtstag. Herausgegeben von Siegfried Unseld. Leinen

Max Frisch. Herausgegeben von Walter Schmitz. stm. st 2059

Frischs ›Andorra‹. Herausgegeben von Walter Schmitz und Ernst Wendt. stm. st 2053

Materialien zu Max Frisch ›Biedermann und die Brandstifter‹. Herausgegeben von Walter Schmitz. st 503

Frischs ›Don Juan oder Die Liebe zur Geometrie‹. Herausgegeben von Walter Schmitz. stm. st 2046

Frischs ›Homo faber‹. Herausgegeben von Walter Schmitz. stm. st 2028

Fünf Orte im Leben von Max Frisch. Gesehen von Fernand Rausser. Broschur

23/3/5.91

suhrkamp taschenbücher
Eine Auswahl

suhrkamp taschenbücher
Eine Auswahl

265/3/8.90

suhrkamp taschenbücher
Eine Auswahl

suhrkamp taschenbücher
Eine Auswahl

suhrkamp taschenbücher
Eine Auswahl

suhrkamp taschenbücher
Eine Auswahl

suhrkamp taschenbücher
Eine Auswahl

suhrkamp taschenbücher
Eine Auswahl

265/9/8.90